SOMBERMAN'S ACTIE

Remco Campert

SOMBERMAN'S ACTIE

Een uitgave van
de Stichting Collectieve Propaganda
van het Nederlandse Boek
ter gelegenheid van de Boekenweek 1985

CPNB

ER BEGINT IETS, gaat er in Somberman om.

Hij is in een landschap en ziet het tegelijkertijd voor zich: heide, berken, bremstruiken, smalle bochtige voetpaden van fijn grijzig zand. Hij ondergaat de luie eindeloosheid van een augustusmiddag. Met die gewaarwording zeilt Somberman door het gebied dat tussen in slaap zijn en wakker worden ligt. Alles glimlacht. Hij wordt op armen gedragen.

Hield ik dit maar vast, denkt hij, en op hetzelfde ogenblik begint het beeld gaten te vertonen – een mooie, maar vergane lap stof, moedwillig of onverstandig ruw behandeld. Het laatste wat hij nog ziet van het tafereel is een door weer en wind uitgebleekt stukje van een dode tak dat op het hete grauwe zand ligt – een boombotje.

De armen die hem dragen wijken uiteen, de glimlach lost op in het niets en Somberman bevindt zich klaarwakker in zijn bed, klokke elf op een doordeweekse ochtend, laten we zeggen een dinsdag, dan hebben we het grootste deel van de week nog voor ons.

Niet dat het voor Somberman sinds hij werkloos hoofdarbeider is veel uitmaakt welke dag het is. Ook het uur van de dag telt steeds minder mee in zijn leven. De grenzen zijn zo goed als opgeheven, alleen gemarkeerd door die korte overgang tussen dromen en waken en ook die vervaagt. Natuurlijk gebeuren er overdag andere dingen in zijn leven dan 's nachts, maar het belang van die gebeurtenissen schijnt hem even groot of klein toe, als belang al een omvang heeft.

Om een idee van orde aan zijn bestaan te geven zet hij iedere dag als hij heeft vastgesteld wakker geworden te zijn, een streepje op een vel papier dat naast het bed ligt, vaak is het de enige handeling die dag. Dat doet hij nu ook, de honderdzesenvijftigste dag van zijn werkloosheid heeft een aanvang genomen. Geen reden om de vlag uit te steken. Hij gaat weer liggen en tracht het warme beeld terug te roepen dat hem even tevoren verlaten heeft. Maar er is niets van overgebleven, behalve de herinnering aan iets veiligs en warms en het idee dat het klopte.

— NIETS LIGT VAST, begint hij zijn dagelijks vaak hardop gevoerde gesprek met zichzelf. Nu iets nog.

Als hij niet blijft praten behoort hij binnenkort niet meer tot de mensen. Woorden kunnen hem redden. Maar waarvan? Ja, geef daar eens antwoord op. Zou een plant ongelukkig zijn? Er zijn mensen die beweren dat planten pijn kunnen lijden. — Er bestaan geen planten van vlees, mompelt Somberman, vooruit, opstaan, actie! Een greep op de wereld, daar gaat het om.

Langzaam komt hij overeind. Hij heeft het gevoel dat hij met zijn borstkas een zwaar loden gewicht moet opdrukken. Sinds hij werkloos is is hij moe. Dit is een stadium, hier moet ik doorheen, sprak de verdwaalde in de woestijn zichzelf moed in. Denk eens aan de arme hongerige Weense kindertjes, zoals zijn opa zei, als Somberman, jochie nog, bij zijn grootouders logeerde en zat te treuzelen over zijn bord karnemelkse pap. De periode dat die Weense kindertjes, uitgegroeid tot stevige Germaanse volwassenen, wraak nemend voor hun vroegere scharminkeligheid, geüniformeerd in Nederland rondliepen was toen nog maar net voorbij, maar voor Somberman's opa waren Weense kindertjes hele andere Weense kin-

6

dertjes. En zo was 'denk aan de Weense kindertjes' ook na de tweede wereldoorlog een gevleugeld woord gebleven in Somberman's familie.

Denk aan de Weense kindertjes! Ik was toen nog te klein om te zeggen dat ik dat juist deed en daarom mijn pap niet at. Waarom weet je sommige dingen pas later? En later is altijd te laat. Deze honderdzesenvijftigste dag begint alweer goed. Dat belooft wat voor de rest van de dag. Of zou hij vandaag een beslissende wending aan zijn lot kunnen geven? Ik moet mezelf deprogrammeren. Is er dan sprake van een programma?

Somberman staat nu naast het bed en trekt de gordijnen open. Godzijdank, het regent. Mooi weer werkt verlammend op degene die tot actie wil overgaan. Te bedenken dat ze in dit grijze winderige land flats met open galerijen bouwen, en huizen met een dakterras, en doorzonwoningen wat dat ook moge zijn. Het wordt tijd voor een brief op poten naar de hiervoor verantwoordelijke instanties. Maar die doen een plas en laten de zaak zoals hij was.

Somberman doet ook een plas. Het lichaam, die mooie schone machine, blijft maar functioneren. De geest is het spoor bijster zonder dat dit klaarblijkelijk het lichaam deert. Het zinloze bruisen van de krachtige straal. Het lichaam bemint me, denkt Somberman en ik geef er niets voor terug. Ik neem die liefde als vanzelfsprekend aan. Dat krijg ik een keer op mijn brood. Als ooit het moment komt dat ik aandacht aan mijn lichaam ga besteden, gewoon omdat er niets anders meer is, dan zal het te laat zijn. Had je eerder moeten doen, laat lichaam dan weten, toen ik nog jong en mooi was en van je hield, nu is het niet meer nodig. Somberman kijkt langs zijn lijf naar beneden. Een beetje zwanger ben ik al, maar mijn voeten staan

7

nog stevig op de koude badkamervloer geplant. Niet-waar, voeten? Ja, meneer. Beleefde voeten. Maar ja, wat doe ik met ze? Veel ontspanning krijgen ze niet. Ik denk dat ik vandaag maar eens met ze naar buiten ga.

Het is alweer vier dagen geleden dat Somberman voor het laatst de deur uit ging. Nadat hij toen een paar hon-derd meter had gelopen begon het te stortregenen. Hij dook een café in waar hij nog niet eerder was geweest. Daar stonden allemaal forsgebouwde mannen met grote snorren bier te drinken. Ze legden veel levenslust aan de dag, mepten elkaar hard op de rug en lachten luid en hol. Ze waren een beetje aan het dollen, zoals ze het noemden. Hun grappen hadden vaak van doen met het meisje achter de bar dat dapper meelachte. Het was een uur of drie in de middag. Zouden ze ook zonder werk zitten? Zo te zien gingen ze er niet onder gebukt.

— Hee sijkerd, kijk niet zo saggerijnig, neem een pilsje van me, bood een buikig heerschap met bakkebaarden tot zijn kin Somberman aan. Somberman trok een vlot ge-zicht en achtte het beter de pils te accepteren. — Zeker je vrouw met je beste vriend betrapt, grapte de buik, god man, wat heb jij een tiefuslijerssmoel. Hier drink op, dan krijg je er misschien weer zin in. Een poos later stond Somberman dronken op straat. De regen viel nog steeds met bakken uit de hemel. Het meisje achter de bar had de buik een lel verkocht toen hij wat al te krachtdadig zijn grove kluif op haar boezem had gelegd. Zes man waren er nodig geweest om hem te beletten haar over de tapkast te sleuren. Van de consternatie had Somberman gebruik gemaakt om het café te verlaten. Je kon maar beter thuis blijven.

IN DE SPIEGEL boven de wastafel ontwijkt Somberman zijn gezicht niet. Ook deze ochtend is het niet moeder's mooiste die hem gadeslaat. Zijn dunne blonde haren hangen in slierten langs zijn langwerpige gezicht. Er
zal toch eens naar de kapper gegaan moeten worden.
Bezig, zijn vrouw, weigert allang iedere knipdienst. Misschien gaat hij vandaag wel, anders morgen. Hoe langer
het haar wordt, des te moeilijker is het om bij een kapper
binnen te gaan. Die hebben zo hun eer.

Fletse blauwe ogen kijken hem laatdunkend aan. De
nacht heeft een vurige pukkel op een van zijn neusvleugels
gebaard. Zijn smalle bloedeloze lippen plakken op elkaar. Hij duwt er een tandenborstel tussen. Wallen onder
zijn ogen alsof hij jaren heeft gezopen, terwijl hij juist een
matig gebruiker is, al komt daar de laatste tijd verande-
ring in. — Is er dan nergens gerechtigheid? vraagt Somberman. — Je weet wel beter, antwoordt zijn gezicht, kijk
me eens goed aan. Onverhoeds zendt zijn gezicht hem een
knipoog toe. Een zenuwtrek, stelt Somberman vast, want
voor een gemeende knipoog is geen aanleiding. Of zendt
het lot hem via zijn aangezichtsspieren een teken?

Hij blijft niet te lang onder de douche staan, want het
idee van 'actie' zou hem door langdurig heetwaterge-
bruik wel eens kunnen verlaten. Het is hem nog niet
duidelijk waarop die actie gericht zou moeten zijn, dan
maar ongerichte actie. Er moet beweging in me komen,
maalt zijn brein. Het mokkende kind dat in zijn grote-
mensen-omhulsel steekt moet eruit geranseld worden.
Energiek wrijft hij zich droog, ook tussen de tenen.

— EEN DRAAI OM JE OREN kun je krijgen, jongeman, als je in plaats van je huiswerk te maken de godganse
dag in de spiegel staat te kijken, zegt Somberman Senior.

Het is voor het avondeten. Somberman's moeder heeft
voor zijn bestwil geklikt.

Een halve dag later is Senior dood – te hard gereden in
de ochtendmist op de Schipholweg. Voortaan kan Somberman ongestraft in de spiegel kijken.

Maar altijd kijkt de dood over zijn schouder mee.

DE THEE IN DE THERMOSFLES is nog warm,
wel wat verbitterd. Bezig is al voor negenen de deur uit
gegaan naar haar werk. Staande werpt Somberman een
blik in het ochtendblad. Hij gaat er niet bij zitten, want hij
weet uit ervaring dat het hem de grootste moeite kost om
weer overeind te komen. In een oogopslag ziet hij dat alles
nog bij het oude is: Nederland hier, de wereld daar. Weer
een aantal ondernemingen op de fles, duizenden mensen
op straat, verder leest hij niet.

Sinds de dag dat hij en vijfhonderd anderen plotseling
te horen kregen dat er geen werk meer voor hen was,
probeert hij het lezen van soortgelijk nieuws te vermijden.
De wond is nog open en gaat misschien wel nooit meer
dicht. Voor niemand: magazijnbediende, winkeljuf-
frouw, afdelingschef, inkoper en administratief personeel
waar Somberman er een van was.

De etalageramen van het in een klap waardeloos geworden warenhuis werden al dichtgespijkerd, terwijl ze
nog ontredderd bij elkaar stonden na de korte, maar
afdoende mededeling van de directie. Er werd gehuild
van woede en wanhoop. De ondernemingsraad die niets

had kunnen voorkomen en die zich, naar men vermoedde, vakkundig in de luren had laten leggen, zocht een goed heenkomen. Eén directeur had het vuile werk moeten opknappen, een ander lag in het ziekenhuis na een zware hartaanval, de derde was spoorloos. Na twee weken bleek dat hij zelfmoord had gepleegd. Een echte zondebok viel er niet aan te wijzen – dat was nog wel het meest frustrerende.

En al spoedig bleek de onontkoombare waarheid dat geen mens ooit voor werkloosheid wordt opgeleid. Somberman voelt zich als een banneling, weggestuurd uit zijn vertrouwde wereld en in een nieuwe wereld geplaatst waarvan hij taal noch gebruiken kent. En eigenlijk niet wìl kennen omdat hij het gevoel heeft dat hij dan het oude verzaakt. Bannelingen zoeken hun lotgenoten op om de illusie te hebben dat het oude niet is vergaan.

Mensen, we blijven elkaar zien, luidde het devies. Er was sprake van solidariteit, juist nu. Men was nog niet van hen af. En in de eerste maanden na de ondergang van het Warenhuis troffen Somberman en zijn ex-collega's elkaar dikwijls in zaaltjes waar in het begin het vuur van hun verontwaardiging hen nog aaneen smeedde. Er werden wilde plannen bedacht, uitstapjes naar het Binnenhof beraamd, protestbrieven op poten ondertekend. De pers toonde belangstelling. Maar het duurde niet lang of er kwam de klad in die bijeenkomsten. Ze kwamen steeds minder bij elkaar. Sommigen hadden nieuw werk gevonden, maar de meesten slaagden hier niet in en raakten in de greep van de moedeloosheid. Ze verkozen hun wonden in eenzaamheid te likken – als aangeschoten dieren.

Een enkele keer komt Somberman een oude kennis van de zaak tegen. Ze drinken een glas en halen herinneringen op, maar de glans is eraf. Ze beseffen dat ze elkaar eigenlijk niet goed kennen en dan ben je al snel uitgepraat. Goede vrienden heeft Somberman niet aan het Warenhuis overgehouden. Je zag elkaar op de zaak, maar daarbuiten had iedereen zijn eigen besognes of deed alsof.

Alleen Domoor, die op de boekenafdeling werkte, zoekt regelmatig contact. Soms komt hij 's avonds langs. Bezig trekt zich dan na een tijdje zuchtend terug in de slaapkamer. — Ik word gek van die man, zegt ze, mijn huid gaat overal prikken als ik hem zie. Dat hij nu juist de enige is die je aan het Warenhuis overhoudt, de saaiste mens ter wereld. Een kartonnen doos vol zand.

— Nou dat valt wel mee, zegt Somberman vergoelijkend, met het idee dat hij ook zichzelf enigszins aan het verdedigen is, want zo sprankelend is hij de laatste tijd niet. Aan Domoor is misschien niet zoveel te beleven, maar in ieder geval is het iemand die niemand kwaad zal doen.

— Daar is hij te fantasieloos voor, zegt Bezig.

— Je moet niet zo gauw over iemand oordelen, zegt Somberman.

— Ik haat het als je zo mild bent, zegt Bezig, geef toch toe dat het de dorste zeurpiet is die er op gods aardbodem rondloopt.

Maar dat weigert Somberman toe te geven.

BEZIG WERKT bij de receptie van het Greenback Hotel. Het is een hotel dat bij toeristen en bij degenen die het leven van toeristen in goede banen leiden populair is. Er heerst een sfeer van ongedwongen hartelijkheid en niets is ons te veel voor onze gasten. Als Bezig 's avonds thuiskomt duurt het altijd een poosje voor ze haar beroepsglimlach heeft afgelegd en haar gezicht weer normale trekken aanneemt. Het hotel wordt voornamelijk door Amerikanen bezocht. — Aardige mensen, zegt Bezig, alleen zeuren ze wel eens over geld. Ze zijn altijd bang dat ze afgezet worden. Ze denken dat iedere Europeaan achter hun dollars aan zit.

— Dat is toch ook zo, zegt Somberman.

— Bij ons niet, zegt Bezig verontwaardigd.

Over het Greenback Hotel mag geen kwaad woord worden gesproken door anderen, soms wel door haarzelf.

— Bij het geld wisselen vragen we geen hogere koers, zoals de meeste hotels doen.

— Ander onderwerp graag, zegt Somberman die kregel wordt als Bezig te lang over haar werk praat. Hij kan zijn jaloezie dan nauwelijks onderdrukken. Soms betrapt hij zich op het verlangen dat ze ook haar ontslag zal krijgen, zo ver gaat het al bij hem. Waarom de een wel werk en de ander niet? Waarom overleven hotels wel en warenhuizen niet? Zou het niet veel eerlijker verdeeld zijn als niemand werk had?

Even vermeit hij zich in die gedachte. Voor zijn ogen verschijnt een zonnig beeld van gelukkige families die wandelen in een park. Er klinkt hemelse muziek. Somberman en Bezig lopen er ook, hand in hand, het lijkt wel of ze zweven.

Dit is de dood, beseft Somberman huiverend, en razendsnel doet hij het beeld verdwijnen.

AAN HET WARENHUIS denkt Domoor niet vaak meer. En als hij eraan denkt is het niet met bitterheid zoals Somberman. Een maand voor het werd opgedoekt is hij met vervroegd pensioen gegaan. Niets wees er toen nog op dat de zaak op instorten stond. Aan zijn afscheid was nog een aardige receptie verbonden. De directeur die later zelfmoord zou plegen sprak. Domoor kreeg bloemen, drank, sigaren en een radiotoestel met wereldontvangst. Een aardig gebaar, ook al wist hij dat het toestel juist die week op de radio- en televisieafdeling in de aanbieding stond.

Diep in zijn hart vindt Domoor het wel prettig dat het Warenhuis niet meer bestaat. Nu kan hij er in ieder geval niet onder lijden dat het bedrijf ook zonder hem reilt en zeilt.

Veel geld heeft Domoor niet, maar daar maakt hij geen probleem van. Hij stelt geen grote eisen aan het leven. Als een hen scharrelt hij van graantje tot graantje door de dag. Van zijn pensioen kan hij het redden en hij heeft wat geld gespaard in de loop der jaren en daar is hij zuinig mee. Soms gaat hij naar de schouwburg en zo af en toe koopt hij een plaat. Het radiotoestel met wereldontvangst staat doorgaans afgesteld op France-Musique. 's Middags, voor hij boodschappen doet voor het avondeten, gaat hij wel eens naar de bioscoop. Een enkele keer bezoekt hij 's avonds het echtpaar Somberman. Elke middag om kwart over vijf drinkt hij thuis een biertje en luistert naar platen van Charles Trenet, Mouloudji en Wim Sonneveld.

Hij gaat nooit naar het buitenland. Vroeger ging hij wel eens een weekend naar Parijs om er even helemaal uit te zijn. Hij bezocht dan een toneelvoorstelling en een paar musea en kocht er een nieuwe das of een mooie trui. Maar daar komt het niet meer van, het blijft bij plannen maken.

Soms, voor hij in slaap valt, droomt hij ervan een huisje te bezitten aan een zonnig strand op een ver eiland. Hij is geliefd bij de inboorlingen, ze brengen hem vruchten en hij geeft onderwijs aan hun kinderen. Hij heeft van Somberman gehoord dat men op kantoor eerst overwogen heeft hem als afscheidscadeau een vakantiereis voor twee personen naar de Canarische eilanden aan te bieden, maar dit idee werd verworpen omdat niemand zich een tweede persoon bij Domoor kon voorstellen en men het een beetje sneu vond om hem in z'n eentje zo'n eind weg te sturen. Toen is het dus dat radiotoestel met wereldontvangst geworden.

Een middag in het najaar, de regen vlaagt tegen de ramen. Je zou eigenlijk het licht al moeten aandoen. Domoor legt de gedichtenbundel neer die hij aan het lezen is en gaat naar de keuken en staart aan niets denkend naar de verveloze balkons van de huizen aan de achterkant. Dan pakt hij de boodschappentas en even later loopt hij over straat op weg naar de groenteboer en de slager. Misschien dat hij vandaag een flesje wijn koopt om wat tegenwicht te bieden aan de neerslachtigheid van de dag, die hem, hoewel dat niet in zijn aard ligt, ook niet helemaal onberoerd laat.

Op de hoek van de smalle gracht waaraan hij woont is een snackbar gevestigd. Vroeger dreef een melkboer er zijn nering. Domoor herinnert zich nog het gekletter en gerinkel als vroeg in de morgen de melkauto langskwam en de bezorger de ijzeren flessenrekken voor de pui van de winkel deponeerde. Dat geluid was het begin van de dag en als je het niet hoorde wist je dat het zondag was. Echt goed slapen kon hij dan nooit meer en de enkele keer dat het hem wel lukte om weer in slaap te vallen versliep hij zich prompt.

Bij de snackbar hangen altijd wat opgeschoten jongens rond met flesjes bier in hun hand. 's Zomers zitten ze op het terrasje, hun lange benen ver voor zich uit gestrekt, en monsteren de voorbijgangers. Met dit weer staan ze natuurlijk binnen en bewerken de speelautomaat, of klaverjassen. Ze maken niet de indruk veel omhanden te hebben. Maar wie heeft dat tegenwoordig wel?

Als Domoor langskomt met zijn boodschappentas staat de grootste van die knapen voor het raam. Hij kijkt naar Domoor. Hij ziet er tamelijk vervaarlijk uit, een zwartleren band vol kopspijkers om zijn pols en grove blinkende ringen aan zijn vingers. Hij heeft een overvloed aan blond krulhaar en wel een knap gezicht. Domoor vangt zijn blik even op, kijkt dan weer voor zich en slaat de hoek om.

Ik moet me sterk vergissen als dat niet de zoon van de melkboer is, denkt Domoor. Die is natuurlijk gehecht aan de buurt waarin hij zijn kinderjaren heeft doorgebracht. Als hij het is dan heb ik hem nog als klein knulletje gekend en over zijn krullebol geaaid, zoals je dat doet bij kinderen. Ik herinner me nog hoe hij me een keer vol trots een tekening liet zien die hij had gemaakt: een zon met een lachend gezicht, een uit zijn voegen gerukt huisje met twee schoorstenen erop waaruit rook kringelde en ook nog een beest dat het meest deed denken aan een kakkerlak op vier stijve hoge poten, maar dat natuurlijk een koe moest voorstellen.

Als Domoor terugkeert met zijn boodschappen staat de jongen met zijn rug naar het raam in gesprek met een kornuit. Die ziet Domoor en zegt iets tegen zijn vriend die zijn schouders ophaalt. De ander lacht.

Domoor loopt beschroomd door. Hij moet hem bij gelegenheid toch eens vragen of hij inderdaad de zoon van de melkboer is.

— WAAR IS MOEDER? vraagt Somberman Senior aan zijn zoon die voor het vakantiehuisje een ingewikkeld zelfbedacht spel speelt met een tennisbal die een bepaalde steen op zo'n manier moet raken dat hij in een iets verder-op geplaatste bloempot belandt. Dit is nog niet één keer gelukt, maar het schijnt dat de aanhouder wint.

De familie Somberman heeft voor een maand een half stenen, half houten huisje in een vakantieoord op de Veluwe gehuurd. Iedere doordeweekse avond komt Senior uit de stad over om 's ochtends in alle vroegte weer af te reizen naar Schiphol waar hij de bar van het restaurant beheert. Zaterdag en zondag heeft hij geen dienst en dan is hij er tot Somberman's vreugde aan een stuk door.

Gouden dagen zijn het.

— Ze is naar de kampwinkel om iets lekkers voor toe te kopen, maar dat mocht ik niet zeggen, zegt Somberman.

— Ik zal niet verklappen dat je het gezegd hebt.

Nu deelt Somberman zowel met zijn vader als met zijn moeder hetzelfde geheim. Hij staat in het midden en trekt aan de touwtjes. Hij vertelt niet aan zijn vader dat de verrassing een aardbeientaart is.

Het is een prachtige zomeravond, de zon geeft nog veel warmte. Senior opent de kofferruimte van zijn auto, die hij naast het huis heeft geparkeerd in de schaduw van een grote denneboom, en haalt er een langwerpige doos uit te voorschijn.

— Kijk eens wat ik meegenomen heb.

Een croquetspel! Even later plant Somberman ijverig de poortjes in de grond.

— Zullen we meteen beginnen?

— Oefen maar vast, zegt Senior, ik drink eerst een borrel-tje.

Zeeën van tijd hebben ze.

17

DE HELE DAG DOOR heeft Domoor wel iets te doen. Kleine dingetjes weliswaar, zoals planten water geven, het schoonhouden van zijn woning, het zetten van thee, het doen van afwasjes en minieme boodschappen, die voor hem belangrijk zijn omdat ze zijn dag maat en perspectief geven.

Domoor's dag is als een rustig bospad. Voor hem uit maakt het pad een kromming, daar wandelt hij bedaard op af en verheugt zich op hetgene dat hij voorbij die bocht zal zien. Dezelfde maar toch andere bomen, hetzelfde struikgewas maar toch anders, misschien een eekhoorn, een vogel – en in de verte lokt alweer een nieuwe bocht, maar hij versnelt zijn pas niet. Hij weet dat wat hij daar zal zien niet wezenlijk zal verschillen van wat hij nu ontwaart, maar de zekerheid dat er een verschil zal zijn, hoe klein ook, doet hem met voldoende nieuwsgierigheid verdergaan.

Domoor bewoont een etage in een klein grachtenhuis in het centrum van de stad. Twee in elkaar overlopende kamers, een keuken en een douchecel. Hij wordt iedere ochtend tegen achten wakker en luistert in bed naar het nieuws op de radio. Dan gaat hij zijn bed uit en zet een plaat op, altijd hetzelfde pianoconcert van Mozart, en terwijl hij ontbijt luistert hij naar de muziek, waarin hij elke keer nieuwe aspecten ontdekt. Of misschien doet de muziek die altijd dezelfde is, dezelfde componist, hetzelfde orkest, dezelfde dirigent, dezelfde solist, dezelfde uitvoering, hem iedere morgen nieuwe aspecten in zichzelf ontdekken. Iedere dag verschilt hij iets van de vorige – al is het maar omdat hij een dag ouder is en de ervaringen van de vorige dag zich bij die van alle andere vorige dagen hebben gevoegd.

Na het ontbijt kleedt hij zich aan en ruimt het huis op.

Hij geeft de planten water en neemt stof af, doet de afwas en maakt een boodschappenlijstje. Dan leest hij een paar bladzijden in de Mei van Herman Gorter, een enkele keer een paar gedichten van Slauerhoff, maar vaak betreurt hij dat achteraf. Niet omdat hij die gedichten niet mooi zou vinden, integendeel, maar omdat ze hem onrustig maken. Ze roepen een verlangen in hem wakker waarvan hij liever zou zien dat het zich koest houdt, want het leidt tot niets goeds. Hij denkt aan het korte en, naar alle bronnen melden, ongelukkige leven van de dichter, zwervend van kust naar kust en nergens een veilige haven vindend, en krijgt een begin van kippevel.

Ook Domoor heeft vroeger zijn romantische dromen gehad over woest en alles gevend leven, verteerd door onrust en wanhoop sterven in de sloppen van een wereldstad. Alles op het spel zetten voor één verblindend geluksmoment, voortdurend de schepen achter je verbranden, lijden aan de wond van het bestaan die geen heelmeester kan genezen. Steeds op zoek naar de schoonheid die, als je denkt haar gevonden te hebben, haar masker afneemt zodat haar ware geschonden gelaat zichtbaar wordt, te gruwelijk om aan te zien.

Toen Domoor merkte dat het wat hem betreft klaarblijkelijk bij dromen bleef en hij in werkelijkheid bezig was een rustig bestaan op te bouwen, wist hij dit verlangen naar de ondergang geleidelijk aan naar de achtergrond te dringen. Maar soms springt het onverwachts naar voren en blijkt nog springlevend te zijn – en dat is eigenlijk hartverscheurender dan het vroeger was, omdat Domoor inmiddels te oud is om nog aan de eisen van dit verlangen te kunnen voldoen. Alleen jeugd kan dramatisch ondergaan, ouderdom is zijn moment voorbij. Als ouderdom ondergaat is dat niet tragisch, eerder een beetje belachelijk. Wie op zijn oude dag nog zelfmoord pleegt vergist zich.

Iedere ochtend van half elf tot kwart over elf drinkt Domoor koffie bij zijn benedenbuurvrouw, de toneelspeelster in ruste Pijn-Daumesnil. Als publiek heeft hij de nadagen van haar gloriejaren meegemaakt en hij vindt het een eer om boven de inmiddels negentigjarige actrice te wonen. Haar top bereikte ze vlak voor de oorlog, maar ook in de jaren na de oorlog schitterde haar ster nog fel. Domoor is goed op de hoogte van haar carrière. Hij weet welke haar glansrollen waren, onder welke beroemde regisseurs ze heeft gespeeld, wie haar minnaars waren, hoe ze ook in Parijs, Londen en Berlijn op handen werd gedragen. Alleen New York aanvaardde haar niet. Ondanks haar ervaring in de grote Europese steden waar gewetenloze individuen haar kleedkamer belegerden, wapperend met louche contracten, liep ze in New York in de eerste de beste val van de eerste de beste gladpratende impresario. Dat ze verliefd op hem was geworden was daar niet vreemd aan. Na drie dagen te hebben opgetreden in een leeg achteraf-zaaltje keerde ze berooid terug naar Europa, waar ze gelukkig op de kade in Rotterdam grandioos werd ingehaald door haar trouwe publiek.

— Heb ik je wel eens verteld hoe ik ontdekt ben? vraagt ze aan Domoor, terwijl ze met vaste hand de koffiekopjes op de lage tafel tussen hen in neerzet. Ze biedt hem een koekje van een zilveren schaaltje aan.

— Eentje dan, zegt Domoor.

— Ik vreet soms wel een ons achter elkaar op, zegt Pijn-Daumesnil, op mijn leeftijd kun je daaraan toegeven, maar een jonge blom als jij moet natuurlijk nog oppassen.

— Ach nee, zegt Domoor, maar ik ben van nature een matig mens.

— Ik vertrouw het nooit als mensen zulke dingen van zichzelf zeggen, zegt Pijn-Daumesnil.

Natuurlijk heeft ze Domoor verteld hoe en door wie ze is ontdekt, de laatste tijd zelfs meerdere malen. Ze heeft de neiging dieper in het verleden te graven naarmate haar leven zijn einde nadert. Het is alsof de dichterbij liggende jaren eerder in het grauwe vergeetboek terugwijken dan haar jeugd.

— Ik werkte op een postkantoor, zegt Pijn-Daumesnil, dat was toen tamelijk geëmancipeerd hoor. Ik geloof dat ik zelfs lid van een vakbond was, hoewel die toen waarschijnlijk anders werden genoemd. Maar een echte suffragette ben ik nooit geweest, ik was een droomster die van voren niet wist dat ze van achteren leefde en andersom al helemaal niet. Ze konden mij alles wijsmaken. Op een middag, ik weet nog goed, het was in het najaar, de lichten waren net ontstoken, vlak voor sluitingstijd, en ik zat wat voor me uit te staren, god weet waar met mijn hoofd, toen er opeens iemand gehaast binnenkwam. Nee, dat moet ik anders vertellen, zo klinkt het wat gewoontjes. Neem nog een koekje.

— Nog eentje dan, zegt Domoor.

Hoewel hij het verhaal al vaker heeft gehoord, zit hij toch weer in spanning op het vervolg te wachten. Een veilige spanning alsof het luisteren naar de grote gebeurtenissen in andermans leven de gemiste avonturen in zijn eigen leven vervangt, zonder dat hij er enig risico voor hoeft te nemen.

— Ik voelde dat er iemand binnenkwam nog voor ik hem zag, gaat Pijn-Daumesnil verder. Het was of de lucht werd verplaatst. Alles beefde en trilde. Er was plotseling een laaiend vuur ontstoken in dat suffe slaperige kantoor. Ik ontwaakte uit mijn droom, keek op en voor me stond

Pijn, de grootste toneelspeler die ons land heeft gekend. Iedereen in de stad kende hem, zelfs ik wist van zijn bestaan, je moest wel, of je wilde of niet. Die man was een brandende fakkel die de hele stad in gloed zette. Te bedenken Domoor dat er in dit land mensen zijn – enfin, zijn het wel mensen – dingen die iets tegen acteurs hebben. Wat een naargeestig pettenvolk!

Pijn-Daumesnil zit rechtop, haar ogen fonkelen. Een wisseling van licht en schaduw jaagt door de kamer. De oude actrice strekt haar arm gebiedend.

— Hij keek me aan, vervolgt ze, nee, hij keek dwars door me heen. In een fractie van een seconde had hij me van top tot teen geschat. Ik voelde me ontkleed en tegelijkertijd omhangen met het mooiste bont. 'Pak je jas,' zei hij, 'sta op en ga mee. Jij hoort op de Bühne, je verdoet je tijd hier.' En ik deed wat hij zei en nog geen tien seconden later stond ik op straat met hem. In die paar ogenblikken had mijn hele leven zin gekregen. Hij was toen al oud, Pijn, maar nog kaarsrecht en lang en sterk, een leeuw van een man. En ook een beest, mijn god, wat ik niet voor een verschrikkelijke dingen met hem heb meegemaakt. Natuurlijk wilde hij met me naar bed, nog geen half uur later ontmaagdde hij me, maar hij zag wie ik was en wat ik in me had en ik ben er heilig van overtuigd dat het er zonder hem nooit uit was gekomen. Twee avonden later joeg hij me al het toneel op en daar ben ik nooit meer afgekomen.

Ze zwijgt. Het is alsof Pijn in de kamer aanwezig is.

Domoor voelt zich onrustig. Hij werpt een blik op de klok die achter Pijn-Daumesnil staat op het omvangrijke gebeeldhouwde buffet dat de kleine voorkamer bijna verplettert. Tien over elf.

Hij merkt dat Pijn-Daumesnil hem gadeslaat. Zich betrapt voelend staat Domoor op.

— Ik ga weer eens naar boven, zegt hij.

— Ga zitten, gebiedt Pijn-Daumesnil, we hebben nog vijf minuten. Wat is er met je? Anders ben je zo'n man van de klok.

Domoor bloost. Dat heeft hij sinds zijn prille jeugd niet meer gedaan. Sinds die tijd is er niets meer geweest om over te blozen.

— Ik dacht dat het later was, zegt hij.

— Onzin, zegt Pijn-Daumesnil, je zit te bibberen als een juffershondje. Heb je koorts of wat?

— Misschien een beetje kou gevat, zegt Domoor, echt, er is niets bijzonders.

Pijn-Daumesnil kijkt hem schattend aan. Domoor kijkt onschuldig terug, maar na verloop van tijd slaat hij zijn ogen neer.

— Ja ja, zegt Pijn-Daumesnil met grote voldoening in haar stem, ik dacht het al, maar nu zie ik het duidelijk. Je hart is aangeraakt. Kereltje, kereltje, wees toch voorzichtig.

PROFESSOR KNOERT, zo signeert hij zijn kunstwerken, loopt de veerpont op die vanaf de achterzijde van het station vertrekt en het ene deel van de stad met het andere verbindt. Het is er niet erg druk op dit uur van de dag, wat fietsers, wat voetgangers, een enkele auto, op het laatste nippertje nog een, de bel gaat en de pont begint zijn oversteek. De trilling van de stampende motoren plant zich voort in Professor Knoert's benen, zijn buik, zijn hoofd. Hij staat aan dek en kijkt uit over het water, terwijl de regen in zijn gezicht waait en ideeën hem bestormen.

Als ze nauwelijks een minuut later meren aan de tegenoverliggende oever gaat hij niet van boord. Hij loopt naar de andere kant van het schip en staat klaar voor de nieuwe overtocht.

Vandaag is Professor Knoert tweeëntwintig jaar geworden, een getal dat hem niet bevalt, een getal van niets. Een getal als het woord dinsdag en dat is het toevallig vandaag, dus dat klopt. Men zou niet jarig moeten worden, het leven zou een en dezelfde dag moeten zijn. Eén grote daad, één groot kunstwerk, één machtig gebaar tussen broeierige wieg en benauwend graf in. De ruimte van het volledige leven, zoals de dichter schreef.

Sinds hij, nog op de middelbare school, gewapend met een spuitbus de muren en glazen van de stad te lijf ging, noemt hij zich Professor Knoert. In het begin was hij zich steeds bewust van zijn werkelijke naam, al was het maar omdat zijn ouders en de leraren op school hem consequent Alfred bleven noemen. Nu nóemt hij zich niet meer zo, hij ìs het. Professor Knoert. De mensen met wie hij omgaat weten niet eens dat hij een andere naam heeft. De spuitbus heeft hij afgezworen. Hij beschouwt het werken ermee nu als een kinderlijk maar noodzakelijk stadium van zijn ontwikkeling.

Ook de jaren die hij nu doormaakt zijn een stadium. Er zal een dag komen dat hij gewoon met Knoert zal signeren, maar dat moment is nog niet aangebroken. Hoewel hij haast heeft kent hij toch zijn tempo en zijn maat; en is dat niet het kenmerk van de grote kunstenaar?

De pont zet weer koers naar de andere kant van de brede stroom die de stad doorkruist. Het grootste gedeelte van de stad ligt aan die kant. De stad die ze nu naderen met haar huizen, gebouwen en kerken is als een kunstwerk, in de loop der eeuwen gemaakt door een groep meer

24

of minder bevlogenen. Er wordt nog altijd aan gewerkt en dat bouwen en breken zal wel doorgaan, zolang het voor mensen zin heeft om zich in de buurt van de rivier waarover de pont zich beweegt te vestigen. In die stad wil Professor Knoert zijn sporen nalaten. Hij wil laten weten dat hij er geleefd heeft.

Als ze de aanlegsteiger naderen ziet Professor Knoert tussen de wachtenden aan de wal zijn vriend Lubbe staan. Dat is geen toeval want ze hebben hier afgesproken. Lubbe en hij wonen in hetzelfde kraakpand. Professor Knoert huist op zolder waar hij zijn atelier heeft. De rest van het grachtenhuis wordt bewoond door Lubbe en zijn vazallen, stevige in leren jacks geklede knapen met kaalgeschoren hoofden. Ze zien zichzelf als de voorhoede van het stadsproletariaat en deinzen voor weinig terug. Ze luisteren naar niemand behalve naar Lubbe. Professor Knoert dulden ze omdat hij Lubbe's vriend is, maar wat hij daar nu precies op zolder uitspookt laat ze op zijn best koud. Het schijnt kunst te zijn en daar geloven ze niet in – wat dat betreft onderscheiden ze zich nauwelijks van andere mensen.

Ze geloven maar in één ding: actie! Dat woord ligt hen in de mond bestorven. Soms verdwaalt er een op zolder en kijkt een poosje zwijgend toe, terwijl Professor Knoert met verf tekeer gaat op een groot vel pakpapier dat hij op de vloer heeft uitgespreid.

— Wat moet dat nou verbeelden? komt na een poosje onherroepelijk de vraag. Denk je dat het volk daarop zit te wachten?

— Dat denk ik niet, antwoordt Professor Knoert, maar je weet nooit. Lubbe komt aan boord. Ze staan aan de reling en kijken naar het door de wind opgezweepte water. Sleepbootjes ploegen er stug doorheen, terwijl verder weg hoge kranen statig buigen. Uit het station worden links en rechts treinen de wereld in gestuurd. Professor Knoert voelt de behoefte in zich groeien om iets groots te ontwerpen, een ding van hout en ijzer en zeil en verf, touw en smeerolie. Een schilderij als een bouwsel, een verbeelding van de stad en zichzelf in die stad. Hoe het precies moet, weet hij nog niet, maar de spieren in zijn armen spannen. In zijn linkerhand een verfkwast, in zijn rechterhand een hamer, zo wil hij de wereld te lijf om er iets grandioos' van te maken.

Hoewel ze elkaar bijna dagelijks zien hebben Professor Knoert en Lubbe eens per week een afspraak op de pont. Lubbe houdt van tradities – die geven vorm aan het leven. Zo herdenkt hij ieder jaar het moment dat hij besloot zijn leven in dienst te stellen van de revolutie van de arbeidersklasse. Dat besluit viel om half zes op een winterochtend toen hij vijftien jaar was. Hij bezorgde kranten in een wijk waarvan de meeste huizen op instorten stonden. In sommige woningen brandde op dat uur al licht. Daar woonden arbeiders die voor dag en dauw op moesten staan om op tijd op hun werk te kunnen verschijnen – er was toen nog wel werk. De huizen lekten, de muren scheurden, de verf bladderde van het houtwerk, de vloeren lagen scheef. De arbeiders warmden koffie op van de vorige avond. In een ander stadsdeel lagen in warme dure villa's hun directeuren in bed en draaiden zich nog eens om. Lubbe blies in zijn door de kou verstijfde handen en kwam tot het grote inzicht. Dus pikt hij sindsdien eens per jaar een fiets en rijdt naar zijn oude krantenwijk, die intussen gerenoveerd is en waarvan de oorspronkelijke bewoners zijn verhuisd naar nieuwe woonsteden.

— Er broeit iets, zegt Lubbe. Volgens mijn bron in het stadhuis kunnen we vandaag of morgen de politie verwachten. Ik denk dat we de langste tijd op de gracht hebben gezeten.

Professor Knoert kan het niet helpen dat hij meteen aan zijn atelier moet denken. Voor de goede zaak moet je natuurlijk offers brengen, maar toch. Het is alsof Lubbe zijn gedachten raadt.

— Dat kost je je atelier, zegt hij.

— Maar we gaan er toch niet zonder slag of stoot uit? vraagt Professor Knoert.

— We barricaderen de boel, zegt Lubbe, maar dat houdt ze op zijn hoogst een uurtje tegen.

Hij kijkt op zijn horloge.

— We zijn nu bezig de zolder te versperren. Ik denk niet dat je straks je atelier nog in kunt. Je spullen staan bij mij.

— Nou ja, het werd me toch te klein daar, zegt Professor Knoert, de ideeën die ik nu heb kan ik er niet uitvoeren.

— Ik heb een plan, zegt Lubbe en dan zwijgt hij. Hij keert het water zijn rug toe en kijkt naar de andere opvarenden. In hun gezichten ziet hij armoe, gebrek en verbittering. Een oude man met een gezicht vol kreukels kan zich van ondervoeding nauwelijks staande houden. — We nemen nog een druppie, zingt de oude met schorre stem.

Lubbe kijkt naar boven, naar de brug. Hij zou het commando kunnen overnemen, het schip bezet verklaren, de menigte aan dek toespreken. Maar alles heeft zijn tijd en voor zo'n actie is het nog te vroeg. Bovendien heeft het schip met een zware bons de andere oever alweer bereikt.

Ze gaan van boord om hun gebruikelijke wandeling te maken. Op een paar nieuwe woonblokken na is de stad hier nog landelijk. In een vaart rijen woonboten zich aaneen. Ze lopen over een klinkerweg waarlangs oude verzakte huisjes staan, gedeeltelijk van hout gemaakt.

27

Voor alle ramen hangen ondoorzichtige vitrages. Op de vensterbanken staan planten in koperen bakken en prullen van aardewerk. En soms zit er een poes die haar ogen dichtknijpt als Lubbe en Professor Knoert langskomen.

— Wat heb je voor ideeën? vraagt Lubbe.

Professor Knoert zoekt naar woorden om het idee voor zijn constructie in uit te drukken. Maar een echt idee is het eigenlijk nog niet, het is eerder een visioen.

— Ik zie de stad, zegt hij de woorden die in hem opkomen, de stad als symbool van de stad. De stad als fata morgana, maar toch tastbaar. Kleiner dan in werkelijkheid, maar de indruk wordt gewekt dat de droom groter is. Volgens mij kan kunst dat doen.

— Ik snap er de ballen van, zegt Lubbe.

— Ik kan het ook niet uitleggen, zegt Professor Knoert, maar ik weet wel hoe ik het moet maken. Ik voel het in mijn lichaam. In ieder geval heb ik een groter atelier nodig dan ik nu heb. Waar vind ik dat?

— Kun je het niet buiten doen? vraagt Lubbe. De stad is tenslotte ook buiten gemaakt.

— Mooi, zegt Professor Knoert waarderend. Nee, ik moet in een begrensde ruimte zitten. Buiten is te veel, buiten houdt nooit op, buiten wordt alles klein. Er valt niet tegen op te boksen.

Aan het eind van de klinkerweg gekomen keren ze zich om en lopen terug in de richting van de pont. De regen striemt hun gezichten, maar ze merken het nauwelijks.

— Kunst moet politiseren, zegt Lubbe, die gedachte vind ik niet terug in jouw idee.

— Kunst moet helemaal niets, zegt Professor Knoert.

— De omgang met jou wordt mijn ondergang nog eens, zegt Lubbe. Volgens mij heb je totaal ongelijk, maar ik kan er niet kwaad om worden.

— Elke politicus heeft zijn kunstenaar nodig, zegt Professor Knoert, dat houdt hem wakker. En als hij aan de macht is kan hij met die kunstenaar geuren en hem gunsten verlenen.

— Laat jij je gunsten verlenen? vraagt Lubbe.

— Zorg er eerst maar voor dat je aan de macht komt, dan zien we verder, zegt Professor Knoert.

Ze stappen de pont op en varen terug naar hun deel van de stad. Als ze bijna aan de overkant zijn haalt Lubbe een pakje uit zijn binnenzak en duwt het in Professor Knoert's hand.

— Wat is dat? vraagt Professor Knoert verrast aan zijn vriend.

— Je bent toch jarig, zegt Lubbe, stuurs kijkend.

Professor Knoert is Lubbe's voorliefde voor bijzondere data vergeten.

— Ik weet niet of je er iets aan vindt, zegt Lubbe, ik ben niet zo goed in cadeaus.

Professor Knoert maakt het pakje open dat hoofdzakelijk uit papier bestaat. Ten slotte komt er een vlakgom te voorschijn in de vorm van een aardbei. Het geurt.

— Ik zei het toch al, zegt Lubbe, ik ben niet zo goed in cadeaus.

DINSDAGMIDDAG, DE KAPPER is gesloten! Somberman knikt, dat had hij kunnen weten. Voor de vorm probeert hij de deur nog even en hij wil alweer verdergaan – waar naar toe – als de luxaflex die achter de deur hangt wordt opgelicht en hij het gezicht van de kapper ziet, die hem beduidt even geduld te hebben. De deur wordt ontgrendeld en ontknipt en een paar tellen later staat Somberman binnen en wordt de deur achter hem op slot gedaan.

Het ís donker in de zaak. De kappersstoelen staan leeg. Niets wijst erop dat er vanmiddag wordt gewerkt.

— Bent u toch open? vraagt Somberman.

— Officieel niet, zegt de kapper, maar wie kan zich in deze tijd veroorloven om een middag met zijn duimen te gaan zitten draaien? Ik moet tegen al die thuiskappers op concurreren.

Hij wenkt Somberman hem te volgen.

— Toevallig dat ik u hoorde, vervolgt de kapper, de meeste dinsdagmiddagklanten bellen. Driemaal een kort belletje, dan weet u het voor de volgende keer. En als om het voor te doen klinkt direct op zijn woorden drie keer kort de winkelbel.

— Gaat u maar naar binnen, zegt de kapper en wijst naar een deur achter in de zaak.

Terwijl de kapper zich naar voren rept om de nieuwe klant binnen te laten, betreedt Somberman een kamer die voornamelijk in beslag wordt genomen door kartonnen dozen, waarin Somberman kappersbenodigdheden vermoedt. Aan een van de muren is wat ruimte uitgespaard en daar hangt een spiegel, eronder staat tegen de muur aangeschoven een keukentafel en voor die tafel een stoel. Meer naar achter in het vertrek staat nog zo'n stoel, op de vloer ernaast liggen een paar geïllustreerde weekbladen. Op de tafel flankeert kappersgereedschap een waskom en een lampetkan. Aan de zoldering verspreidt een TL-buis haar koude licht.

Somberman voelt zich teruggezet in een tijd die hij niet heeft meegemaakt, die hij alleen kent uit overlevering, een tijd van grauwe armoede, het kwartje van Romme, met veters langs de deur, het Bosplan, crisis. Jan Boezeroen droeg toen een pet, mensen als Somberman, sjofele kantoorpikken, glad achterovergekamd haar met een slappe vlekkerige hoed erop. In troosteloze rijen stond men voor het stempellokaal en in Duitsland brandde de Rijksdag.

— Tijd niet gezien, meneer Somberman, zegt de kapper die zijn illegale salon is binnen gekomen, op de voet gevolgd door een gezette, rood aangelopen, zwaar ademende man van een jaar of zestig.

Somberman beaamt het beschaamd.

— Blufkaak is de naam, zegt de na hem gekomen klant. Zijn hoofd is nagenoeg kaal. Alleen boven zijn oren en in zijn nek plekt wat grijs krulhaar.

— Gaat u zitten, zegt de kapper en wijst op de stoel voor de tafel. Hij pakt de lampetkan en verdwijnt in de zaak om hem met warm water te vullen.

— U bent me net voor, zegt Blufkaak, dat overkomt me niet vaak. Zuchtend neemt hij plaats op de andere stoel. Erg geriefelijk is het hier nog niet, Piet, zegt hij tegen de kapper die weer is teruggekeerd en het water in de waskom giet.

Nooit geweten dat de kapper Piet heet, denkt Somberman. Op het etalageraam staat Pierre-Hair. Toen Somberman schooljongen was stond er nog gewoon Herenkapper op, maar toen zat er een ander.

— Eerst maar even wassen? vraagt de kapper.

— Ik kom net onder de douche vandaan, zegt Somberman.

— Dan zullen we maar aannemen dat het schoon is, zegt de kapper, misprijzend naar Somberman's sliertige haardos kijkend. Ik zal het toch nat moeten maken, dat knipt makkelijker.

Met zachte aandrang leidt hij Somberman's hoofd in de dampende waskom.

— U heeft het wel erg ver laten komen, zegt hij. Het is helemaal uit zijn model gegroeid. Zullen we er maar iets totaal nieuws van maken?

Uit zijn model, denkt Somberman, had ik dan een model?

— Hoog opgeschoren van achter, leuke lok van voren, stelt de kapper voor. Maar ja, dat is eigenlijk uw leeftijd niet.

— Knip het maar gewoon kort met een scheiding, zegt Somberman.

— Beetje gedekt?

— Ja.

— Ze zien er tegenwoordig allemaal uit alsof ze met hun hoofd op het hakblok moeten, zegt Blufkaak. Voor sommigen zou dat trouwens heel goed zijn. Slappe kwasten die niet van aanpakken weten, de goede niet te na gesproken. Mijn zoon bij voorbeeld, dat is nog een echte idealist. Heb je niets onder de kurk, Piet? Een lekker borreltje? Je verdient toch genoeg aan ons.

De kapper protesteert, maar even later proosten ze elkaar toe.

— Nu nog een paar gemakkelijke stoelen en je krijgt me hier nooit meer weg, zegt Blufkaak.

De kapper schudt zijn hoofd.

— Ik kan het hier niet te leuk maken, zegt hij, anders heb ik straks alleen nog maar dinsdagmiddagklanten. En dan beconcurreer ik mezelf.

— Nou, het tikt toch lekker aan, zegt Blufkaak, allemaal zwart. Ik wed dat je op dinsdag evenveel verdient als de rest van de week.

— Was dat maar waar, dan gooide ik de tent meteen dicht.

Er groeit een vertrouwelijke atmosfeer in het vertrek. De wet wordt ontdoken en dat schept een band.

— Doet u me een plezier en vertelt u dit niet verder, zegt de kapper terwijl hij met zijn schaar venijnige aanvallen op Somberman's haar onderneemt, ik doe het alleen voor oude klanten. Die betalen wat minder dan op andere dagen en ik verdien er toch wat meer aan, maar de hele stad hoeft het niet te weten.

— Er gaat niets boven het vrije ondernemerschap, zegt Blufkaak en schenkt de glaasjes nog eens vol. Dat is de enige hoop die de arbeidersklasse nog rest: het vrije ondernemerschap. Mijn zoon is het daar helemaal niet mee eens. Die heeft heel wat anders voor ons in petto. Wat wil je, dat is een idealist.

De kapper kucht nerveus. Hij heeft liever niet dat het gesprek een politieke wending neemt. Vroeger eindigden zulke discussies vaak in hooglopende ruzie die de zaak geen goed deed. Tegenwoordig is men minder fel. Ieder jaar raakt de gewone man meer in de versukkeling en wil ook steeds minder weten van de oorzaken ervan. Men leeft een bang leven, door spoken bezocht.

Zoals altijd bij de kapper suft Somberman een beetje weg. Het vakkundige gefrunnik aan je hoofd, je moet het over je laten komen. Het zal ook wel met zijn levenshouding te maken hebben. Misschien voelt hij zich wel het meeste thuis in het gebied tussen droom en actie. Zo kan hij altijd denken dat de actie vlak voor hem ligt. Hij hoeft maar een stap te doen en hij is op weg. En dan is er geen terug meer.

— Als je nou op het Plein komt en je ziet dat dichtgetimmerde Warenhuis, dan draait je hart toch om in je lijf, hoort hij Blufkaak zeggen.

— Houdt u uw hoofd een beetje rustig, anders knip ik u

nog een oor af, zegt de kapper.

— Maar ja, de wereld verandert, zegt Blufkaak die zichzelf graag hoort spreken. Ik red me wel. Ik heb me voor de oorlog gered, ik heb me in de oorlog gered en ik heb me tot nog toe gered. Jij toch ook, Piet?

— Dat wel, zegt de kapper, maar als ik het anders had aangepakt dan had ik mijn schaapjes nu wel op het droge. Dan had ik nu ook een bungalow in Spanje en een motorjacht in de Friese meren. Weet je wat het is? Ons soort mensen is te lang te eerlijk geweest.

— Ik heb nog een mooie partij shampoo voor je, zegt Blufkaak, zo uit Parijs.

— Ik heb nog voor jaren, zegt de kapper en werpt een veelbetekenende blik op de dozen die in het vertrek staan opgestapeld.

— We nemen er nog eentje, zegt Blufkaak, het belangrijkste is dat je je goede humeur behoudt. Wat u?

Die laatste woorden zijn voor Somberman bedoeld.

— Dat is soms moeilijk, zegt Somberman.

— Toegegeven, er gaat een hoop energie in zitten. Maar zolang we gezond zijn en op tijd ons borreltje kunnen drinken en de vrouwtjes nog naar ons kijken en we iets om handen hebben...

Somberman trekt een moeilijke glimlach in de spiegel.

— Ik ben werkloos, zegt hij en voelt hoe hij schaamrood wordt.

— Dat is niet zo best, zegt Blufkaak meewarig. Ik ben altijd vrije jongen geweest, een vaste baan is niets voor mij, maar als je gewend bent elke maand je loonzakje te krijgen en dat houdt opeens op, nee, ik benijd u niet. In wat voor branche was u werkzaam, als ik vragen mag? Textiel? Scheepvaart?

— Administratief, antwoordt Somberman, ik werkte bij het Warenhuis.

— Het Warenhuis? Ach meneer, ik zei het al, wat zonde. Zo'n mooie zaak. De stad is de stad niet meer sinds het Warenhuis over de kop is. Daar ging je nou gewoon voor je plezier naar toe. Het hoorde bij de bezienswaardigheden – de dierentuin, de grachten, het Warenhuis.

Somberman knikt.

— Weet u wat het is, meneer, vervolgt Blufkaak, ze kochten daar te duur in. Neem dat nou maar aan van een handelsman. Het was een beetje te chic, ze hadden het daar te hoog in de bol. Op den duur was het voor de gewone man niet meer te betalen. Dat vloog maar naar New York en Parijs, ik heb wel eens gedacht, waarom nemen ze de tram niet en kopen het bij mij? Ik had ze dezelfde spullen voor de helft van de prijs kunnen leveren. Had er alleen een ander etiketje op gemoeten. Had ik ze ook nog kunnen leveren. Nietwaar Piet? Daar weet jij alles van.

— Zo kan hij wel weer, Blufkaak, zegt de kapper terwijl hij goedkeurend naar zijn werk kijkt.

MET ZIJN BESTE VRIENDJE heeft Somberman afgesproken vandaag te spijbelen. Ze zullen elkaar treffen op de halte waar ze iedere ochtend de tram naar school nemen. Het vriendje heeft vaker gespijbeld en is tot nu toe door de mazen van het net heen geslipt. Daar draagt toe bij dat zijn ouders veel reizen en dat de huishoudster die dan voor hem zorgt als was in zijn handen is. Gewillig schrijft ze briefjes waarin zijn schoolverzuim aan griep wordt geweten. Bij de onderwijzers heeft hij de reputatie een ziekelijk kind te zijn. Men houdt er rekening mee, slaat hem dikwijls over bij een beurt en is geneigd zijn rapportcijfers niet al te laag te laten uitvallen. Intussen vergaart hij kennis in de stad en vandaag wil hij die kennis met Somberman delen.

Het is een mooie zachte voorjaarsdag. Somberman staat op de halte en ziet er voor de oppervlakkige beschouwer uit als een schooljongen die op de tram staat te wachten. Niemand kan zien dat hij die tram niet zal nemen, maar zich zo meteen met zijn vriendje nonchalant van de tramhalte zal verwijderen om het avontuur van de stad tegemoet te lopen.

Drie, vier trams lang wacht hij, maar zijn vriendje komt niet opdagen. De school is allang begonnen als hij nog op de halte staat, niet goed wetend wat hij nu moet doen. Hij steekt over en slaat nog een tijdje vanuit een portiek het komen en gaan van de trams gade – in een portiek, omdat hij bang is dat het in de gaten loopt als hij de ene tram na de andere voorbij laat gaan.

Later zal blijken dat zijn vriendje de avond tevoren bij een gewaagde sprong van de trap in het ouderlijk huis ongelukkig is terechtgekomen, zodat hij nu met een lichte hersenschudding het bed houdt in een kamer waarvan de gordijnen op bevel van de dokter gesloten moeten blijven. Maar dat weet Somberman nu natuurlijk niet en inwendig scheldt hij zijn vriendje de huid vol.

Wat moet hij doen? Hij zou naar huis kunnen terugkeren en zijn moeder wijsmaken dat er vandaag geen school is, de onderwijzer is ziek geworden, maar thuis zitten spijbelen heeft niet zoveel zin. Hij kan natuurlijk alsnog naar school gaan en een excuus bedenken, waarom hij te laat is. Ernstig gestraft zal hij wel niet worden, want hij is nooit te laat, zoals hij ook nog nooit heeft gespijbeld. Die oplossing trekt hem ook niet erg aan.

Hij besluit alleen door te zetten en loopt met ferme pas de stad in, weg van de tramhalte die hem met school verbindt. Hij hoopt iets mee te maken waarmee hij zijn verraderlijke vriend de volgende dag kan verpletteren. Een ongeluk, een brand, een naakte vrouw, je weet maar nooit, er gebeurt elke dag van alles in de stad. Je moet alleen het geluk hebben dat je erbij bent. Hij zou zich bij een brandweerkazerne kunnen posteren en als er een brandweerwagen uitrijdt kunnen vragen waar de brand is en er dan als de bliksem naartoe gaan. Met ongelukken wordt het al moeilijker. Een goed ongeluk is echt een tref. Zijn vriendje boft vaak met die dingen. Hij kan naar het ziekenhuis gaan en wachten tot er een ambulance uit komt, maar die gaan dikwijls helemaal niet naar ongelukken maar halen patiënten op of zo. En daar is niet zoveel aan te zien. Van een brandweerauto ben je in elk geval zeker dat hij naar een brand gaat, want reken maar dat ze die joekels van auto's niet zomaar de stad in sturen. Ja, ze halen katten uit bomen, maar dat is ook een spannend gezicht, vooral als zo'n kat niet uit de boom gehaald wil worden en die kerel een flinke haal geeft.

Het meeste stelde hij zich voor van die naakte vrouwen. Zijn vriendje heeft ze bij bosjes gezien tijdens zijn zwerftochten door de stad. Natuurlijk kent hij de blaadjes in de etalages van de boekwinkeltjes, maar een echte levende naakte vrouw, dat moet toch iets heel anders zijn.

Hij weet waar de buurt is waarin de meeste naakte vrouwen wonen en hij loopt die kant uit. Ook onderweg geeft Somberman zijn ogen goed de kost, want volgens zijn vriendje komt het dikwijls voor dat naakte vrouwen, terwijl hun man beneden op straat in zijn auto stapt om naar zijn werk te gaan, zich langdurig uitrekken voor het raam. En hij heeft een keer een naakte vrouw uit een brandend huis zien springen in het vangzeil van de brandweer. Zijn vriendje ziet altijd wat en het is jammer dat hij er niet bij is, want Somberman ziet niets.

De stad is saai 's ochtends en tamelijk leeg. De naakte vrouwen liggen nog op één oor, de gordijnen van hun behuizingen zijn tenminste gesloten. Somberman is ongeveer de enige die in de rosse buurt rondloopt. Eigenlijk verveelt hij zich suf, maar hij kan met goed fatsoen nog niet naar huis gaan.

Hij gaat het Warenhuis in waar het ook al niet erg druk is. Op de speelgoedafdeling vraagt een meneer die hem al een tijdje in de gaten heeft gehouden of hij iets speciaals zoekt. Nee, hij kijkt alleen maar even. Of hij maar wil vertrekken, als hij niet van plan is iets te kopen. Hij gaat weg met lege handen, terwijl zijn vriendje hier regelmatig de mooiste dingen gapt.

Veel te langzaam verstrijkt de ochtend. Het lijkt de school wel, daar zit ook geen schot in de klok. Hij slentert terug naar huis, het is nog te vroeg. Hij zal zijn moeder zeggen dat ze een uur eerder vrij waren wegens onwel worden van de onderwijzer. Of misschien kan hij het nog vager houden, gewoon: we hadden een uur eerder vrij en als zijn moeder dan wil weten waarom beroept hij zich op onwetendheid. Dat zijn ze thuis wel van hem gewend. Ik weet niet. Weet je niet waarom je dit of dat hebt gedaan. Nee, ik weet niet.

Dan ziet hij plotseling, zomaar in een straat, zijn vader uit de auto stappen, vergezeld van een vrouw. Hee pap, wil hij roepen, maar nog juist op tijd bedenkt hij dat hij aan het spijbelen is en voor de tweede keer die ochtend duikt hij weg een portiek in. Zijn vader sluit de auto af en verdwijnt dan met de vrouw in een huis. Hoeft zeker niet te werken vanochtend. Somberman's hart bonst nog geruime tijd na van schrik. Het scheelde geen haar of hij was er gloeiend bij!

ROOMNUMBER 422, enjoy your stay, zegt Bezig tegen de achttiende en voor deze middag laatste Japanner die dankbaar glimlachend de sleutel van zijn kamer in ontvangst neemt.

Ze heeft pijn aan haar voeten, het liefste zou ze haar schoenen uittrappen, maar dat zou ongetwijfeld op bezwaren van de hoteldirectie stuiten. Die wil dat het personeel er tot in de puntjes verzorgd uitziet – zo'n geweldige naam heeft de stad al niet, hoewel de meeste toeristen zich toch na een paar dagen laten veroveren, als ze tenminste niet worden bestolen.

Zaak is om ervoor te zorgen dat ze zo min mogelijk op eigen houtje op stap gaan en als ze daar toch de neiging toe vertonen ze een doel en een route te suggereren die in een veilig gebied liggen. Als ze niet meegaan met de trip in de rondvaartboot of de bus dan is het consigne hen even uit te horen over hun plannen als ze 's ochtends hun sleutel afgeven bij de balie en die zo mogelijk om te buigen in de gewenste richting.

Het gros van de toeristen die in een groep reizen heeft trouwens toch weinig eigen ideeën en is blij met iedere tip. In het Greenback Hotel komen voornamelijk mensen wier leeftijd tussen de vijftig en de zeventig ligt en die voelen er doorgaans weinig voor om buiten de platgetreden paden te gaan. Hun motto is: als iedereen ernaartoe wil dan zal er wel een reden voor zijn. In hun vaderland krijg je ze waarschijnlijk met geen stok het plaatselijk museum in, maar hier laten ze zich gedwee museum na museum in drijven. Europa, dat is nu eenmaal cultuur, dus dan zal je het ook hebben.

Als ze 's avonds eens wat willen, dan bereik je een aardig effect door ze een balletvoorstelling aan te raden. De man kijkt wat geschrokken en je ziet zijn hersens malen om een excuus te bedenken, maar de vrouw straalt – dat is nu eens een goed idee. In hun meisjesjaren hebben de vrouwen er allemaal van gedroomd balletdanseres te worden. De man doet, denkt hij, een gouden vondst: We hebben geen avondkleding bij ons! Dat is in Holland niet nodig, zegt Bezig dan, bij ons gaat het heel informeel toe. Zal ik plaatsen voor u reserveren? En ze reikt al naar de telefoon.

Sommige van haar collega's zien op de hotelgasten neer, althans zo gedragen ze zich. Hun houding doet een beetje denken aan die van het personeel op luchthavens dat zich vaak gedraagt of ze ook een beetje kunnen vliegen. Je wordt natuurlijk soms gek van het gezeur over koersen, de angst om bedrogen te worden die de meeste toeristen niet vreemd is en hun vaak grote onbekendheid met het land waarin ze verblijven. Bij Amerikanen komt daar nog bij hun aandoenlijk respect voor het feit dat we een vorstenhuis hebben. Wat dat laatste betreft kun je ze alles wijsmaken, maar Bezig doet daar niet aan mee. Niets is makkelijker dan naïeve mensen voor de gek te houden. Hoe je daar voldoening in kunt vinden is haar een raadsel. Ze is tamelijk serieus, Bezig.

In de lobby is het nu rustig – straks als men terugkeert van museumbezoek, grachtentocht en proeflokaal begint de drukte weer. Ze wil een praatje aanknopen met de kassier, maar die staat met diep gefronste wenkbrauwen naar een rekening te staren.

— Hier klopt niets van, zegt hij. Moet je horen: twee

flessen champagne voor kamer 118, zestien gulden. De nul vergeten. Maar het is wel afgetekend, verdomme.
— Ik zal het ze wel uitleggen, zegt Bezig.
— Dat is de schuld van die stomme Achmed, zegt de kassier. Nu blijkt hij ook al niet te kunnen tellen. Ik begrijp niet waarom ze zo'n kaffer in dienst nemen.
— Iedereen kan zich vergissen, zegt Bezig.
— Het geeft allemaal maar extra werk, zegt de kassier, een bleekscheet met een precieus blond snorretje. In zijn jaloerse buien denkt Somberman dat ze iets met hem heeft. Bijna een belediging.
— Hou op met dat gekanker, zegt Bezig en pakt een tijdschrift.
— Rustig, rustig, zegt de kassier gekwetst. In elk geval gaat deze jongen vanavond lekker stamppot van andijvie met gehakt eten.

Dat is een favoriete uitdrukking van hem, die hij meestal gebruikt als het gesprek hem verveelt of als hij zichzelf verveelt. Soms zegt hij het zomaar, vriendelijk grijnzend naar een buitenlandse hotelgast: yes sir, we cash traveller's cheques en in ieder geval gaat deze jongen vanavond lekker stamppot van andijvie met gehakt eten, American Express, yes sir.
— Hoog bezoek, zegt hij nu. Bezig kijkt op van haar tijdschrift en ziet Somberman het hotel binnen komen. Hij zwaait naar haar. Ze komt achter de balie vandaan en loopt op hem af. Ze kussen elkaar vluchtig, bijna als vage kennissen, zoals altijd de keren dat hij haar op haar werk bezoekt. Mag je je man tijdens je werkuren kussen? Ze heeft het idee dat de directie hier geen voorstander van is en ze is er zelf ook niet dol op. Je moet zulke dingen gescheiden weten te houden.
— Je bent naar de kapper geweest, zegt ze verrast. Som-

41

berman ruikt naar lotion en naar drank. En zijn haar zit eindelijk weer eens fatsoenlijk.

— Was er dan een open op dinsdag? vraagt ze.

— Een zwarte kapper, zegt Somberman.

— Een Surinamer? Ze begrijpt het werkelijk even niet.

Ze voelt zich nooit erg op haar gemak als Somberman in het hotel is. Het is net of hij haar komt controleren. Als ze het druk heeft koopt hij een krant en gaat die in de lobby zitten lezen, achteruitgezakt in een fauteuil, net als thuis. Zo af en toe werpt hij tersluiks een blik op haar en ze wendt voor het niet te merken, maar ze is zich voortdurend bewust van zijn aanwezigheid. Ze heeft hem een keer gevraagd om liever niet te komen als ze werkt en hij houdt zich er vrij aardig aan, maar soms voelt hij zich zo opgelaten dat hij niet anders kan. Het is dàt of van het dak springen, heeft hij gezegd.

— Is je man rijk of zo? vroeg de kassier toen Somberman weer eens uitgebreid in de lobby had plaatsgenomen.

— Hoezo?

— Nou, dat hij de tijd heeft om hier 's middags te zitten.

— Welnee, hij was toevallig in de buurt.

— Ik dacht al. Als ik rijk was zou ik mijn vrouw niet laten werken. Mooi dat ik haar thuis zou houden. In elk geval gaat deze jongen vanavond lekker stamppot van andijvie met gehakt eten. Your change, sir.

Ze vertelt de kassier niet dat Somberman geen werk heeft. Het zijn zijn zaken niet en Somberman denkt toch al dat de hele wereld het aan hem ruiken kan. Het onderwerp is zo goed als taboe, ook tussen hèn. Bezig vermoedt ook dat Somberman het niet goed kan verkroppen dat zij wèl werk heeft.

Twee jaar geleden kreeg ze de baan bij het Greenback Hotel, op voorspraak van een vriendin die er receptioniste was en die ging trouwen. Somberman had allerlei bezwaren, die echter zo vaag waren dat ze gemakkelijk weerlegd konden worden. Het kwam erop neer – zoals hij een keer in een openhartige bui toegaf – dat hij er ouderwetse ideeën opna hield die wilden dat de plaats van een vrouw in huis was. En aan dat idee lag weer de angst ten grondslag dat ze een ander zou ontmoeten en hem aan de kant zou schuiven. Alsof de kans daarop niet veel groter is als ze thuis zit en zich een ongeluk zit te vervelen. Nu ja, misschien is dat ook onzin. Die kans is er gewoon altijd. Hem kan hetzelfde overkomen.

Thuishouden kon hij haar niet, zeker niet toen hij haar er na lange gesprekken van had overtuigd dat ze voorlopig nog geen kind moesten nemen. Hij wilde eerst hoger stijgen op de maatschappelijke ladder. Dat besluit was vrij in het begin van hun huwelijk gevallen en jaren had Bezig zich tevreden gesteld met de rol van echtgenote en huishoudster, in afwachting van het ogenblik dat ze ook de moederrol nog te vervullen zou krijgen. Maar dat ogenblik brak niet aan. De tijd ervoor wilde maar niet rijp worden en opeens was ze vijfendertig jaar en nog steeds aarzelde Somberman en vond het beter er nog mee te wachten. Ze verdacht hem ervan geen kinderen te willen hebben, omdat een kind de aandacht van hem af zou leiden, maar toen ze die verdenking uitsprak ontkende hij op hoge en gekwetste toon. Zijn enige oogmerk was dat het kind onder de best mogelijke omstandigheden zou opgroeien. Ze geloofde hem maar half, maar legde zich opnieuw bij zijn onwil neer. Veel anders kon ze ook niet doen.

Ze had het eens op een rijtje gezet. In die dagen zetten veel mensen dingen op een rijtje. Dat maakte een efficiënte indruk. Je liet je niet door het lot her- en derwaarts blazen, maar nam op rationele gronden je eigen beslissingen.

Zo zag haar rijtje eruit:
1. voorlopig geen kind en zo verder leven
2. Somberman alsnog overtuigen
3. scheiden
4. voorlopig geen kind en werk zoeken

De eerste mogelijkheid schrapte ze resoluut. Ze wilde niet verder leven zoals ze tot nog toe had geleefd. De eerste jaren was ze gelukkig geweest met haar staat van Somberman's echtgenote, maar die koek was nu op.

De tweede mogelijkheid beproefde ze tegen beter weten in nog een keer. Somberman werd er heel zenuwachtig van.

— We hadden toch besloten dat we géén kind zouden nemen? Ik bedoel, voorlopig niet, zei hij driftig. Waarom moeten we er nu weer over beginnen? Je was het er toch mee eens?

— Ik word ouder, zei ze. Het lijkt me niet goed als een kind zulke oude ouders heeft. Straks lijken we meer op zijn grootouders dan op zijn vader en moeder.

— Wat een waanzin! stoof Somberman op. Welk stom blaadje heb je nu weer zitten lezen?

— Ik wil graag een kind. Ik verlang naar een kind, zei ze.

— Allemachtig, hou op met dat gezeur! Je krijgt je kind, dat beloof ik je. Even geduld nog!

Terwijl ze de tweede mogelijkheid doorstreepte kwam een nieuwe mogelijkheid bij haar op: Somberman voor een fait accompli stellen en het kind toch krijgen. Of ze de pil wel of niet slikte kon hij toch niet controleren. Maar het zou erg gemeen zijn en voor het kind leek het haar niet de gunstigste start. Toch hield ze de vijfde moge-

44

lijkheid als een geheim wapen achter de hand.

Scheiden?

Toen ze dat woord opschreef was ze geschrokken van zichzelf. Hadden ze elkaar niet beloofd om nooit van elkaar te gaan wat er ook mocht gebeuren? Hoe gemakkelijk en vanzelfsprekend was het toen niet geweest om die belofte af te leggen. Toen ze de betekenis van het woord goed tot zich liet doordringen raakte ze van slag. Het was alsof ze op de rand van een dak stond en de bijna onweerstaanbare aantrekkingskracht van de diepte voelde. Ze had de indruk dat haar huwelijk, alleen door het opschrijven van het woord 'scheiden', op losse schroeven kwam te staan. Hield ze dan niet meer van Somberman? Had ze ooit van hem gehouden? Het duizelde haar en ze liep door het huis als iemand die in zijn nekvel was gepakt en onverhoeds in een onbekende omgeving was geplaatst. Ze sliep naast een onbekende die 's ochtends de deur uit ging en aan het einde van de middag weer thuiskwam en voor wie ze gekookt bleek te hebben.

— Wat is er toch met je? vroeg Somberman op een avond toen ze de televisie had aangezet en meteen weer uitgedrukt.

— Niets, ik doe de televisie uit.

— Maar je deed hem net aan.

— En nu doe ik hem weer uit.

— Je moet zeker ongesteld worden, was Somberman's conclusie. Dat was altijd zijn oplossing als ze uit haar humeur was of afwijkend gedrag vertoonde.

Ook scheiden schrapte ze van haar lijstje, maar het woord week sinds ze het had bedacht niet meer uit haar hoofd. Ze vroeg zich af of de gedachte ooit in Somberman was opgekomen. Lag het ook in zijn hersenen als een roofdier op de loer? Een tijd lang gaf het een zekere

45

spanning aan hun samenleven, een geur van avontuur. Maar het sleet. Het leek een van die woorden die meer een bevel waren dat je zo snel mogelijk op moest volgen dan een suggestie die je op je dode gemak kon overwegen. Trouwen en scheiden hebben gemeen dat rijp beraad de kans sterk vermindert dat je tot een van beide handelingen overgaat.

Punt vier bleef over: het compromis. En toen haar vriendin Bezig voorstelde een goed woordje voor haar te doen bij de hotelmanager, aarzelde ze niet. Ze besprak het niet eens met Somberman. Hij was behoorlijk in zijn wiek geschoten.

— Waarom heb je het niet eerst met mij besproken?

— Ik moest meteen beslissen. Kijk niet zo grimmig. Ben je niet blij voor me?

— Je had het eerst met mij moeten bespreken. Het heeft allerlei consequenties. Ik weet niet of het zo verstandig is. Hoe moet het bij voorbeeld nu voortaan met eten?

— Ik stel voor dat we gewoon dooreten.

— Je weet heel goed wat ik bedoel. Ik bedoel boodschappen doen en koken. De huishouding. Daar zul je nu wel geen tijd meer voor hebben.

Hij keek haar zorgelijk aan, alsof hij beducht was voor een toekomst vol ontberingen.

— Dat lossen we wel op. We moeten de taken een beetje verdelen.

Hij bleef een bedenkelijk gezicht trekken.

— Wat moet je eigenlijk precies doen in dat hotel?

— Ik werk in de receptie, net als Madelief. Gasten inschrijven, sleutel geven en zo.

— Die Amerikaan met wie Madelief trouwt, is dat niet iemand die ze in het hotel heeft leren kennen?

— Je denkt toch niet dat het me daarom is begonnen, wel?

Ik ben al getrouwd, weet je nog?
— Dat zeg ik niet, maar er komen natuurlijk allerlei soorten van mensen. Ik weet het niet hoor, ik vind het niet zo'n geweldig idee.

Scheiden!

Liever vandaag dan morgen!

Maar na een tijdje was Somberman bijgetrokken en had hij zelfs op zijn manier zijn verontschuldigingen aangeboden door haar een bosje bloemen te laten bezorgen op haar eerste werkdag. En haar functie had zijn sexuele verbeelding geprikkeld.

— Ik kom op een middag langs en dan boek ik een kamer bij jullie, onder een andere naam natuurlijk. En jij doet net of je me niet kent. En als je even niets te doen hebt kom je naar mijn kamer.

Maar dat plan hadden ze nooit uitgevoerd.

Hij ruikt naar drank, dat komt sinds kort wel vaker voor. Het beangstigt haar. Hoe moet dat aflopen? Als hij niet gauw werk vindt – en de kans daarop is niet groot, zeker nu hij het solliciteren heeft opgegeven – raakt hij nog aan de drank. Stel je voor dat hij hier laveloos langskomt! Dan kan ze haar baan wel op haar buik schrijven.

Ze gaan in de verlaten lobby zitten.

Ze kan niet nalaten te vragen of hij in het café is geweest.

— Je zult het niet geloven, zegt Somberman, maar de kapper schonk een borrel. Er blijkt in de stad een heel leven aan de gang te zijn waar ik niets vanaf weet. Want ik neem aan dat het niet alleen bij de kapper zo is. Een schaduw-bestaan.

Ze heeft hem in tijden niet zo levendig meegemaakt en dat is niet alleen op het conto van de alcohol te schrijven.

47

Doorgaans maakt drinken hem nog zwijgzamer en gedeprimeerder.

— Kom je iets speciaals doen of kom je zomaar langs? vraagt ze en begrijpt de verkeerde vraag gesteld te hebben.

— Ik kom zomaar langs. Zit ik je in de weg? zegt Somberman gekwetst.

— Zo bedoel ik het niet.

— Ik kom mijn hoofd laten bewonderen, zegt Somberman.

— Het ziet er een stuk beter uit, zegt Bezig.

— Eigenlijk wou ik iets met je drinken, zegt Somberman. Kun je niet even weg? Er is nu toch niemand.

— Nee, dat kan niet. Het kan ieder moment weer druk worden. Zal ik aan de bar iets voor je halen?

— Goed idee, zegt Somberman. Een whisky graag.

Bezig verdwijnt naar de bar. Somberman kijkt rond, weggezakt in de diepe leren fauteuil. De kassier knikt hem toe en hij knikt terug met toch weer een scheutje van jaloezie over het feit dat die slungel elke werkdag met Bezig heeft te maken. Hij staat op en slentert naar de krantenkiosk annex souvenirwinkel waar sinds kort een oudere vrouw in staat die volgens Bezig vroeger in het Warenhuis heeft gewerkt. Hij bespiedt haar tussen de Delfts-blauwe vazen, molentjes en miniatuur grachtenpanden door.

Haar gezicht komt hem niet bekend voor, op kantoor zat ze in ieder geval niet. Hij schat haar op huishoudelijke artikelen, hoewel daar meer mannen stonden, net als op de meubelafdeling. Misschien schat Somberman alle vrouwen wel op huishoudelijke artikelen.

De vrouw kijkt hem aarzelend aan. Snel richt hij zijn blik op een klompvormige asbak. Maar het is al te laat.

Ze komt achter haar kassa vandaan en loopt naar hem toe.

— Bent u niet meneer Somberman?

Hij knikt.

— Ik dacht al die ken ik. U zat toch op kantoor in het Warenhuis? Somberman's opgewektheid is op slag verdwenen. Waar blijft Bezig? denkt hij ongeduldig.

— Ziet u wel, zegt de vrouw tevreden, ik dacht al die ken ik. Wat een zonde, hè, dat de zaak niet meer bestaat. Wie had dat ooit kunnen denken. Wilt u wel geloven dat ik er nog dagelijks mee bezig ben. Heeft u al nieuw werk gevonden?

— Nee, dat ligt niet voor het opscheppen.

— Ik heb geluk gehad, zegt de vrouw. Ik heb dit baantje door een oude klant gekregen. Die wist toevallig dat het vrijkwam.

Somberman vraagt zich nogmaals af op welke afdeling de vrouw werkte. De mensen die in de afdelingen werkten kenden de mensen van kantoor beter dan omgekeerd het geval was.

— Ach, en het was altijd zo'n gezellige drukte, vooral in dit jaargetij, vervolgt de vrouw. Dat is het hier trouwens ook wel, hoor. Nu is het een stil uur, maar moet u straks eens zien.

— U werkte toch op eh... vist Somberman.

— Lederwaren, antwoordt de vrouw, meteen bij de ingang. Daar moest je je ogen goed de kost geven, want ze gapten de boel onder je handen vandaan. En niet alleen junks hoor, nee, het waren juist meestal de keurige types die je in de gaten moest houden. Het is sterker dan de mens, als ze het zien liggen dan moeten ze het hebben.

— Tja, reageert Somberman, je moet nooit op het uiterlijk afgaan.

Zelf doet hij niet anders, zoals trouwens de meeste mensen.

Hij loopt in de richting van de bar waarvan Bezig zich juist met een glas whisky in haar hand losmaakt. Lachend roept ze iets over haar schouder naar de barkeeper, een donkere man met een knap gezicht, een Spanjaard of een Zuidamerikaan, echt zo'n gladde versierder, denkt Somberman. Hij neemt het glas van haar aan en ze lopen terug naar de lobby.

— Wat duurde dat lang, zegt hij.

— Harry was even weg, zegt Bezig.

— Jullie hebben nogal plezier zo samen, zegt Somberman.

— Soms denk ik dat je liever hebt dat ik hier de hele dag zit te kniezen, zegt Bezig boos.

— Natuurlijk niet, zegt Somberman, maar dat geflirt met alles wat maar een broek aan heeft vind ik niet geweldig.

Bezig staat met een ruk op.

— Ik moet weer aan mijn werk, zegt ze. Ik laat mijn dag niet door jou verpesten.

— Sorry, zegt Somberman. Eet je vanavond thuis?

— Op dinsdag en woensdag werk ik tot tien uur. Onthou dat toch eens. Elke keer vraag je hetzelfde.

— Ik haal de dagen door elkaar. Ik weet nauwelijks dat het dinsdag is, zegt Somberman.

Hij drinkt zijn whisky op en drukt zich met enige moeite uit zijn stoel omhoog. Ze staan zwijgend tegenover elkaar. Een golf van medelijden overspoelt Bezig. Wanneer komt er ooit een einde aan deze toestand? Misschien geeft ze hem wel geen aandacht genoeg, maar ze heeft het gevoel dat het niets uithaalt als ze hem meer aandacht geeft. Het zal nooit genoeg zijn, hij zal altijd meer eisen. Ze moet haar eigen leven beschermen.

Ze knijpt even in zijn arm. Met een treurige glimlach kijkt hij haar aan. Meteen maakt haar medelijden plaats voor ergernis. Allemachtig, is dit nog wel een man die hier als een zoutzak tegenover haar staat?

— Ik ga maar eens, zegt Somberman.

— Wat ga je nu doen? vraagt Bezig.

— Naar huis, zegt Somberman en haalt zijn schouders op. Wat moet ik anders doen?

Woedend op hem en op zichzelf draait Bezig zich om en loopt terug naar haar plaats achter de balie.

Hij slaapt half als hij in de straat het portier van een auto hoort dichtklappen. Kwart voor twee al, ziet hij met een snelle blik op het wekkertje, langdurig gemorrel van een sleutel in het slot van de voordeur – ernaast, ertegen, erin – dan valt de deur met een veel te harde klap achter Bezig dicht.

Somberman komt zijn bed uit, na even te hebben overwogen om zich slapende te houden en zo hun beiden een hoop trammelant te besparen, maar het is sterker dan hij. Hij trekt zijn ochtendjas aan, dit is verdomme nog nooit gebeurd, er zit iets goed scheef. Woedend is hij en vol angstige voorgevoelens, anders is ze al om half elf thuis. Nu belde ze tegen elven op, hij zat net naar het laatste journaal te kijken, om te zeggen dat ze nog een glaasje dronk en dan naar huis kwam, op de achtergrond klonk geroes van stemmen en gelach, een vrolijke boel kennelijk en dat allemaal onder leiding van die barkeeper met dat quasi-knappe gezicht en die onbetrouwbare naam: Harry!

Bezig staat onvast op haar benen in de gang, ze doet pogingen haar jas op een knaapje te hangen, maar die glijdt eraf en valt op de grond, geeft niet, moet toch naar de stomerij. Hee, daar heb je Somberman, nu zwaait er wat, maar hij moet niet denken dat hij haar nog kan overdonderen. Ze heeft haar eigen leven en daar zal hij maar aan moeten wennen.

— Hallo, zegt Bezig, ben je nog op? Ze blijft bij de kapstok staan alsof ze geen zin heeft om verder het huis in te komen en dat is ook wel een beetje zo. Harry, die haar thuis heeft gebracht, wist nog een leuk nachtcafé, pas geopend, iedereen komt er, mensen van televisie en zo, en het is vlak bij hen in de buurt, weet die duffe man van haar allemaal niet.

Dronken als een kanon, stelt Somberman bitter vast en hij ziet toe hoe zijn vrouw in de gangspiegel kijkt en haar haar fatsoeneert alsof ze te gast is in een vreemd huis. Op ijzige toon vraagt hij haar of ze een gezellige avond heeft gehad. Het was heel, heel gezellig en of hij daar bezwaren tegen heeft. Nee? Zo klinkt hij anders wel, gaat Bezig in de aanval.

— Je bent dronken, zegt Somberman, toen je opbelde zou je nog een glaasje drinken en naar huis komen en nu is het drie uur later. Zijn stem klinkt klagerig en Bezig haat hem.

— Als je ruzie wilt maken ben ik zo weer weg, zegt ze. Ze gaat de woonkamer in, doet er het licht aan en ploft op de bank neer.

— Ik wil nog iets drinken, zegt ze, en zet een plaat op, maak het hier eens een keer gezellig, in plaats van je als een dooie diender te gedragen.

— Commandeer die Harry van je maar, die is daarvoor opgeleid, zegt Somberman bevend van drift, komt midden in de nacht bezopen thuis en denkt dan ook nog de dienst te kunnen uitmaken.

Natuurlijk begint hij over Harry, als ze het niet wist,

wat is het toch een klein mannetje met kleine hersentjes, die Somberman van haar. Ze besluit zout in open wonden te wrijven.

— Leek je maar een beetje op Harry, dan was het hier in huis een stuk vrolijker. Die staat tenminste in het leven. Die weet wat er om hem heen gebeurt. Aan jou gaat het leven voorbij. Alles gebeurt zonder jou, je zit maar te zitten. Waarom ben je niet naar het hotel gekomen in plaats van naar die stomme televisie te zitten staren?

— Ik naar je toe komen? Ha! Ik zou het prille geluk van Harry en jou niet graag in de weg zitten. Is hij goed in bed?

Vol minachting haalt Bezig haar schouders op.

— God, wat ben jij eigenlijk een kleinzielig ventje, waarom ga je niet weer slapen, moet je niet vroeg op voor je werk?

Somberman staat dreigend op en wil haar een mep verkopen, maar trapt in plaats daarvan een stoel omver, want die berichten in de krant over vrouwenmishandeling zijn hem ook niet in de koude kleren gaan zitten.

— Ja, breek de boel maar af, zegt Bezig, laat maar zien hoe flink je bent.

Somberman haalt een paar keer diep adem en gaat weer zitten.

— Wat heb je gedaan? vraagt hij, heb je de hele tijd in de bar gezeten? Waarom heb je me niet nog een keer gebeld? Je weet toch hoe ik me voel de laatste tijd.

Hij voelt wanhoopstranen in zijn ogen komen.

Maar Bezig is genadeloos.

— Ik heb gedaan waar ik zin in had en ik ben van plan dat in de toekomst altijd te doen. Ik heb geen zin om de beste jaren van mijn leven in een soort versuffing door te brengen met iemand die besloten heeft de rest van zijn bestaan bij de pakken neer te zitten.

Dat is stevige taal die niet nalaat Somberman hevig te schokken. Om zijn ontsteltenis te verbergen loopt hij naar de keuken en pakt een fles witte wijn en twee glazen.

Uit de woonkamer klinkt nu luide muziek, de Beatles, toen waren ze nog jong en vol frisse moed. Hoe is het zo ver gekomen? Hij staat in de deuropening en kijkt naar de woest dansende Bezig. Met haar armen maaiend schuift ze door de kamer. Haar mond is open, haar onderlip wellustig naar voren gestoken, haar ogen bijna gesloten, de voor haar gezicht vallende haren schudt ze met een uitdagende beweging weer naar achter. Somberman ziet een heel andere vrouw, een vrouw die niet voor hem bestemd is, een zigeunerin, een disco-dier. Daar zal hij nooit aan mee kunnen doen. Zich op alle fronten mislukt voelend gaat hij zitten en opent de fles en wacht tot ze is uitgedanst.

En dan steekt hij weer van wal, hij kan het niet tegenhouden.

— Hou je niet meer van me?

Nee, daar gaat het niet om, dat heeft er niets mee te maken, ze weet op het ogenblik niet of ze nog van hem houdt, maar daar gaat het niet om en bovendien valt ze om van de slaap.

Maar dat vindt Somberman beneden peil, ze heeft hem midden in de nacht uit zijn slaap gehaald, hij heeft op haar verzoek een fles wijn opengemaakt, hij wil met haar praten, daar kan ze zich nu niet aan onttrekken, dat zou al te gemakkelijk zijn, als ze niet meer van hem houdt, als ze verliefd is op die barkeeper, dan moet daarover gesproken worden. En zo gaat het maar door, een nachtmerrie van woorden, weeklachten, verwijten, wanhoopsaanvallen, misverstanden, tot Bezig opzij zakt en slaapt en niet meer wakker is te krijgen, ook niet als hij haar heen en weer schudt – als een slappe pop valt ze terug in de kussens.

Hij legt haar benen op de bank, doet het licht in de woonkamer uit en gaat naar bed waar het nog uren duurt voor hij ook in slaap valt. Als hij woensdag laat in de morgen wakker wordt is Bezig al weg. De huiskamer is opgeruimd alsof er niets is gebeurd.

SOMBERMAN KIJKT het café in waar hij een week geleden op een regenachtige middag nogal dronken is geworden. Hetzelfde meisje dat toen ruw betast werd door een rumoerige krachtpatser met bakkebaarden staat achter de bar. Hij gaat naar binnen.

Het café is verlaten op één klant na. Aan een tafeltje voorbij de bar zit iemand met zijn hoofd op zijn armen te slapen. Voor hem staat een leeg jeneverglaasje en een halfvol glas bier. Hij heeft piekerig grijs haar en een ronde kale plek boven op zijn schedel. Hij snurkt.

Somberman gaat aan de bar staan.

— Zeg het maar, zegt het meisje.

— Een pils, bestelt Somberman. En ik wou vragen of er nog iets staat van vorige week. Ik weet niet of ik toen betaald heb of niet. Het was nogal chaotisch toen.

— Vorige week? herhaalt het meisje. O, wacht even... Toen zat uw haar heel anders. Nee hoor, dat heeft Sjon betaald.

— Sjon?

— Ja, die dikke die zo tekeerging.

— Nou! bevestigt Somberman en kijkt haar meelevend

55

aan. Eigenlijk wel een aantrekkelijk meisje.

— Is hij altijd zo, die Sjon?

— Ach nee, hij was wat uitgelaten, hij kwam net uit de lik.

Dan zal hij er wel weer gauw in zitten, wil Somberman zeggen, maar hij houdt het voor zich.

— Ja, dan wil je wel eens wat, knikt hij en trekt een gezicht of hij er alles vanaf weet. Het meisje gaat er niet op in en Somberman weet niet hoe hij het gesprek moet vervolgen. Dat is nooit zijn sterkste punt in het gezelschap van vrouwen. Bezig heeft hem wel verteld hoe ze geen raad wist met de verschrikkelijke stiltes die hij soms liet vallen toen ze elkaar pas kenden. Diepe afgronden van niets weten te zeggen. Is hij wel goed wijs of denkt hij juist erg diep na? Ik voelde me zo dom dat ik maar wat kakelde en dan voelde ik me nog dommer, zei Bezig. Ik twijfelde er in het begin aan of we voor elkaar geschikt waren. En dat doet ze nu weer, denkt Somberman.

— Ha, eindelijk een kerel! klinkt een stem. Zwaar en schor, maar onmiskenbaar die van een vrouw. Een glas valt in scherven op de vloer. Kom eens hier, geile beer.

De figuur aan het tafeltje zwaait uitnodigend in de richting van Somberman. Het is dus geen man, maar een vrouw met een rode kop waarin een scheve mond met dikke lippen en grote donkere ogen die scheel kijken van de drank. Op haar neus zit een bloedige schram. In tegenstelling tot haar woorden is haar spraak bijna overdreven beschaafd.

— Geef Duif eens een zoentje! commandeert ze.

Ook het andere glas belandt op de vloer.

— Duif, hou je kalm, anders ga je eruit, zegt het meisje, laat meneer met rust.

— Ik wil alleen maar een zoentje, gaat de vrouw verder.

Maar misschien houd je niet van vrouwen. Geef me dan maar een borreltje.

Somberman kijkt vragend naar het meisje achter de bar. Ze schudt haar hoofd.

— Soeza, rotmeid, zegt de vrouw, die man mag me toch zeker wel een borreltje geven. Wat denk je wel? Dat jij hier de dienst uitmaakt? Kind, waar ik vandaan kom, daar mocht jij de plee nog niet eens schoonmaken.

Ze probeert overeind te komen, dreigt even over de tafel heen te vallen, zakt dan weer terug op haar stoel.

— Nou moet je niet onaangenaam worden, Duif, zegt het meisje.

— Als je een man was bracht je me een borreltje, zegt de vrouw tegen Somberman, maar de echte kerels zijn allemaal dood. Ik heb ze zien komen, ik heb ze zien gaan. Mooie jongens waren het, mijn jongens. Dappere jongens.

— O god, daar gaan we weer, verzucht Soeza. Somberman voelt zich ongemakkelijk en liever wil hij er niets mee te maken hebben, maar aan de stem van de vrouw is niet te ontsnappen.

— Toen was ik net zo jong als die snotmeid daar. Dag en nacht trokken we met elkaar op. Een voor een heb ik ze de pijp zien uitgaan. Die vuile rotmoffen. Die hebben nu weer het hoogste woord. God, wat weten ze het weer goed allemaal. Maar mijn jongens zijn dood. Hun wonden heb ik verzorgd, hun pistolen geladen en ze zijn er allemaal aangegaan, stuk voor stuk. Die vuile moffekrengen.

Tranen biggelen over haar wangen, maar haar stem behoudt zijn volume.

— Zou het niet beter zijn als ze naar huis ging? vraagt Somberman zachtjes aan het meisje.

— Brengt ú haar ?

Daar ziet Somberman wel tegen op.

— Ze verdwijnt straks uit zichzelf, zegt Soeza, zo gaat het elke dag. En het is een doodgoed mens, ik heb niet het lef om haar de zaak uit te sturen.

Somberman heeft trek in nog een pils, maar bang om slapende honden wakker te maken durft hij niet te bestellen. Ongevraagd tapt Soeza een biertje voor hem.

— Van de zaak, zegt ze. U treft het alweer niet met de andere klanten.

— Geef me dan een pilsje, klinkt de stem van de vrouw, dan drink ik vandaag geen borrel meer.

Maar Soeza blijft onverbiddelijk.

— Dan krijg ik wel een slok van meneer. Zo'n keurige man, die weet wat een dorstige vrouw toekomt.

— Het lijkt me niet zo goed voor u, mevrouw, zegt Somberman. Zijn volle glas staat voor hem, hij durft er niet aan te komen.

— Het lijkt me niet zo goed voor u, bauwt de vrouw hem na. Bent u niet wat te schielijk met uw diagnose, dokter?

Somberman gaat met zijn rug naar de vrouw toe staan. Was hij hier maar nooit naar binnen gegaan. Wil hij nog iets van zijn leven maken dan zal hij in het vervolg met enig overleg te werk moeten gaan.

— U wendt zich van mij af? hoort hij achter zich. U vindt het zo wel genoeg? Bent u soms van het Militair Gezag? Uw rug is er krom genoeg voor. Zo is het wel genoeg, sloeberaars die de kastanjes uit het vuur hebben gehaald, wapens inleveren, als jullie zoet zijn krijgen jullie een lintje en verder maul halten! Eens per jaar mogen jullie met een helm op bij het monument staan, maar verder willen we niks meer van jullie horen. De buit verdelen, dat doen wij wel, de heren van de club. En berg die dronken

58

Duif maar op in een kliniek en stop 'r onder de pillen, zodat ze voor eeuwig haar bek houdt!

Het geluid van stoel- en tafelpoten die over de vloer schrapen maakt duidelijk dat de vrouw opnieuw pogingen doet om op te staan. Somberman heeft juist besloten om af te rekenen en weg te gaan, als de deur van het café opengaat en nieuw bezoek zich meldt.

— Als dat Duif niet is, m'n eigen Duif, roept de nieuwe caféganger, kom aan m'n hart, kind. Heb je de oorlog al gewonnen?

De stem komt Somberman bekend voor.

— Bluffie, ouwe gabber.

— Ho ho Duif, voorzichtig, niet vallen.

— Een dame valt nooit. Ze gaat hoogstens even op de grond zitten om de boel beter te kunnen overzien.

— Soeza, een borreltje voor deze schone dame zonder genade.

— Op uw verantwoording.

— Op mijn verantwoording. Een glaasje heeft nooit iemand kwaad gedaan. Wat u, meneer? U lust er ook wel eentje, nietwaar? Een van de beste manieren om de crisis te bestrijden. Alcohol, het geheime wapen van de gewone man. Ik ken u ergens van.

— We hebben elkaar gisteren bij de kapper ontmoet, zegt Somberman.

Blufkaak heeft zo te zien al meer cafés bezocht vandaag. Zijn buik puilt uit zijn openhangende jas naar voren. Zijn ogen zijn waterig en zijn grijns heeft iets stars, maar hij staat stevig op zijn benen en hij lalt niet.

Hij is niet alleen. Naast hem staat een kaalgeschoren jongeman met een zwart leren jasje aan die Somberman koel bekijkt.

— Dit is mijn zoon Lubbe, zegt Blufkaak trots. Wat ik aan

idealisme ben kwijtgeraakt is er bij hem dubbel en dwars in geschoten. Die jongen van mij neemt het in zijn eentje tegen de hele maatschappij op en weet nog waarom ook. Hij is mijn alibi, zou je kunnen zeggen. Let op – wat wil je van me drinken, Lubbe?

— Thee, zegt de jongeman.

— Soeza, één thee voor de spes patriae, rijmt Blufkaak voor de vuist weg. Ik heb een theedrinker gebaard. Is dat geen wonder? Drank is niet aan hem besteed. De pest voor de klassenstrijd, nietwaar jong?

Goedmoedig slaat hij zijn zoon op de schouder. Die laat hem begaan, hij is het een en ander van zijn vader gewend, dat merk je aan zijn houding. Somberman moet plotseling aan zijn eigen vader denken en een scheut van jaloezie en verdriet gaat door zijn lichaam. Zo heeft hij nooit met zijn vader kunnen omgaan, als twee kameraden door dik en dun. Lang voor Somberman de leeftijd had bereikt waarop het mogelijk wordt je oude heer als een vriend te beschouwen was die al met z'n stomme auto op een andere stomme auto geknald. Ze hadden het lijk eruit moeten zagen en zijn vader was zo toegetakeld dat Somberman afscheid moest nemen van een gesloten kist, waarop in een zilveren lijst met niet ter zake doende krullen zijn vader's portret stond. Heel heeft hij zich sindsdien niet meer gevoeld. Er ontbreekt een onderdeel dat niet meer vervaardigd wordt.

— Een keer per maand gaan we een dagje stappen, zegt Blufkaak, om de banden des bloeds te bestendigen zogezegd. Straks thuis een hapje eten, dan ziet zijn moeder hem ook nog eens, en dan weer het leven in, tenzij er iets moois op televisie is, maar ach, wanneer komt dat voor. Ik ben liever aan de weg. Twee haltes in de tram en ik maak meer mee dan in een week televisie kijken.

Duif is na de korte opleving van zoëven weer in slaap gevallen en Blufkaak trekt zich met zijn zoon terug aan een tafeltje achter in het café. Hij steekt een kaars aan die op het tafeltje staat, gevat in een koperen kandelaar die tegelijkertijd dienst doet als asbak, en ze praten met elkaar op gedempte toon. Soeza ruimt met stoffer en blik de glasscherven op en ledigt asbakken. Eindelijk rust in het café.

Somberman kijkt naar buiten. Het begint te schemeren. Ook op straat is het stil. Hier en daar op het trottoir staan plassen waarin bruine en gele boomblaren drijven. Zo af en toe vlijt zich er eentje bij, naar beneden gedwarreld uit de nog niet helemaal kale linden. Aan de overkant passeert een spoorzoekende hond, die van tijd tot tijd achteromkijkt om te zien of zijn baasje hem wel volgt. Nu krijgt Somberman de baas in het vizier, een op zijn gemak voortstappende man met een lichtblauw jack aan. Daarna een hele tijd niets tot er van de andere kant over het trottoir een jongen op een fiets met grote tassen achterop komt aangereden. Hij stopt bij iedere deur en wringt daar door de brievenbus een dik pak advertentiebladen naar binnen. Dan schuifelt er dicht langs het raam van het café voetje voor voetje een oude dame voorbij. Ze draagt een bril met dikke glazen en een gouden montuur. Haar dunne gepermanente haar is lichtblauw. Haar kaak beweegt alsof ze kauwgum kauwt. Steeds als ze een paar pasjes heeft gedaan staat ze een paar tellen stil, als om moed te verzamelen voor het afleggen van de volgende afstand.

Langzaam draait de aan de bar zittende Somberman zijn hoofd met haar voortgang mee. Als ze het caféraam bijna is gepasseerd blijft ze langer staan dan tevoren.

Haar hoofd gaat een beetje opzij, richting midden trottoir. Vier tellen, vijf, zes, zeven... Somberman becijfert de duur van haar oponthoud. Dan wordt de reden van haar stilstand duidelijk, de voorbijvlietende aanwezigheid van een grote hoeveelheid schoolkinderen uit diverse streken van de wereld afkomstig: Turkije, Nederland, Marokko, Suriname, de meisjes meestal arm in arm, de jongens in slordiger formatie.

De oude dame zet zich pas weer in beweging als de laatsten gepasseerd zijn – een kogelrond zwart meisje hand in hand met een pukkelige blanke slungel, beiden met ernstige gezichten alsof ze zojuist een vèrstrekkende beslissing hebben genomen.

— Kan ik even bellen? vraagt Somberman aan Soeza die achter de bar is teruggekeerd en bezig is bonnetjes te ordenen. Ze wijst hem de telefooncel aan, achter in het café, naast de wc. Op zijn tenen loopt Somberman langs het tafeltje waaraan Duif zit te snurken. Blufkaak en zijn zoon zijn nog in gesprek, Lubbe werpt een korte blik op Somberman.

Somberman draait het nummer van het Greenback Hotel. Als hij Bezig aan de telefoon krijgt, vraagt hij bezorgd hoe het met haar gaat.
— Goed, antwoordt ze kortaf, bel je daarom op?
— Ik wou je stem horen. Wat zal ik voor boodschappen doen? Waar heb je trek in vanavond?
— Ik eet hier. Ik ben pas om tien uur vrij. Ben je dat wéér vergeten?

Natuurlijk gaat ze met die Harry eten. Somberman ziet de rest van de dag als een eindeloze leegte voor zich uitgestrekt. Op de wand van de telefooncel staan met pen of potlood nummers geschreven, soms met namen erbij.

Hij wil het goedmaken met Bezig, maar haar kortaange-
bondenheid snijdt hem de pas af.

— Ben je thuis? vraagt ze.

— Nee, antwoordt Somberman, in een café.

— Nou, je ziet maar wat je doet, zegt Bezig korzelig, ik
heb werk te doen.

En ze hangt op.

Balorig draait Somberman een van de nummers die op
de wand staan genoteerd. Er staat een naam bij met
veelbelovende uitroeptekens erachter – Cécile!!

Terwijl ergens in de stad de telefoon overgaat kijkt
Somberman door het ruitje van de cel het café in. Soeza
staat aan het einde van de bar en staart naar buiten. Haar
kastanjebruine haar glanst in het lamplicht.

— Met Grondvest, bast onverhoeds een mannenstem in
zijn oor.

— Spreek ik niet met Cécile? vraagt Somberman.

— U spreekt met Grondvest. Met wie spreek ik?

— Ik zou graag met Cécile willen spreken. Het is nogal
dringend. Kunt u haar even roepen?

— Wie bent u?

— Ik ben een vriend van Cécile. Ik heb een belangrijke
boodschap voor haar.

— Hoe heet u?

Somberman maakt een einde aan het gesprek. Zich aan
zichzelf ergerend verlaat hij de telefooncel. Hij heeft het
gevoel het dieptepunt te hebben bereikt. Nu belt hij al
wildvreemden op. Je zou het als een noodkreet kunnen
beschouwen, maar het is eerder armzalige lamlendig-
heid. Kon hij zijn leegte maar laden met energie – op dit
ogenblik zou hij zichzelf met het grootste genoegen tot
ontploffing brengen.

— Kom er even bij zitten, zegt Blufkaak uitnodigend als

hij weer langs het tafeltje komt waaraan de vlotte prater met zijn zoon zit. Lubbe wil u iets vragen.

— Ik moet eigenlijk weg, zegt Somberman.

— Een paar minuten maar, zegt Blufkaak en trekt een stoel bij. Twee pils en een thee, roept hij naar Soeza.

Somberman gaat zitten en kijkt naar Lubbe. Die zegt niets, zit bijkans onbeweeglijk en straalt iets onverzettelijks uit. Somberman heeft het idee zich in de nabijheid van een persoonlijkheid te bevinden die nu al veel sterker is dan de zijne ooit nog zou kunnen worden en dat maakt hem zenuwachtig.

Als Soeza de bestelling heeft gebracht, steekt Blufkaak van wal. Zijn zoon blijft zwijgen maar kijkt, zodra Blufkaak begint te praten, Somberman met koude blauwe ogen aan. Somberman heeft het ongemakkelijke gevoel dat hij getest wordt. Hij prent zich in gewoon zichzelf te blijven, tenslotte kent hij deze mensen nauwelijks, dus waarom zou hij aan iets hoeven te voldoen? Alleen, als hij zichzelf blijft, wie is hij dan?

— Kijk, zegt Blufkaak, mijn zoon is een idealist. Wat dat betreft mag ik wel zeggen dat de appel niet ver van de stam valt, ook al is de stam wat verrot en zijn de wortels aangetast. In mijn jonge jaren heb ik ook voor menige goede zaak op de bres gestaan en u zult in de archieven onder heel wat oproepen en manifesten mijn naam aantreffen. Maar toen brak de oorlog uit en werd het een kwestie van het eigen vege lijf redden. Ik had een vrouw te onderhouden en een baby'tje en weinig centen. Dan slijt je idealisme, hoewel het natuurlijk nooit echt verloren ging, maar ik moest zogezegd het vlammetje wat lager draaien. En aan het einde van de oorlog was er zoveel gebeurd en kwamen we er pas goed achter waartoe de mens in staat is, dat die vlam bij mij nooit meer is gaan laaien. Zorg jij nou maar voor jezelf, dacht ik, en hou je gezin een beetje netjes in de kleren en heb maar niet te veel praatjes over hoe het met de wereld zou moeten gaan. Dat zoeken anderen maar uit die daar beter geschikt voor zijn dan jij. Lubbe hier, mijn jongste, is een nakomertje. Die stamt van in de Cuba-crisis, toen de hoge heren ons weer eens flink de stuipen op het lijf hadden gejaagd en je van de weeromstuit voor wat extra nageslacht ging zorgen. Je kunt zeggen dat de geschiedenis een handje mee heeft geholpen toen zijn moeder en ik hem maakten.

— Ik dacht dat uw zoon mij iets wilde vragen, onderbreekt Somberman Blufkaak's exposé.

— Mijn vader weet wat hij zegt, zegt Lubbe. Zijn blik glijdt van Somberman's gezicht naar de cafédeur waardoor met veerkrachtige tred twee mannen binnenkomen, onopvallend gekleed in lichte windjacks, lichtblauwe spijkerbroeken en gymschoenen. Ze kijken snel het café rond, lopen dan naar de bar, bestellen iets bij Soeza en raken in gesprek met haar.

— Eindelijk echte mannen in de zaak!

Duif is ontwaakt.

— Kerels die graag de portefeuille trekken om Duif een borreltje aan te bieden!

— Hou je mond, Duif, zegt Soeza, je stoort.

— Rustig maar, oma, zegt een van de mannen.

— Oma! Ik kon je moeder wel wezen! stuift Duif in verwarde verontwaardiging op. Ze sputtert nog wat na en is weer stil.

— Wat ik wil zeggen, vervolgt Blufkaak, is dat mijn zoon een idealist is met een achtergrond. Die achtergrond ben ik. Met mijn leven als verleden erbij is mijn zoon door vele zeeën gewassen. Waarmee ik bedoel dat hij een spijkerharde is die bang is voor niets en niemand.

65

— Daar heeft u me van overtuigd, zegt Somberman.

Nu neemt Lubbe het woord.

— Volgens mijn vader werkte je bij het Warenhuis, zegt hij.

Somberman knikt.

— Heb je er lang gewerkt?

— Vijftien jaar, antwoordt Somberman, maar ik heb niet zoveel zin om erover te praten. Het is voorbij.

— Heb je ander werk gevonden? vraagt Lubbe.

— Ik betwijfel of ik ooit nog werk vind, zegt Somberman, maar wat gaat jou dat aan?

— Je hebt je er dus zo maar bij neergelegd, zegt Lubbe. Hij verliest Somberman niet uit het oog, alsof hij een cursus in ondervragen heeft gevolgd. Het irriteert Somberman. Hij heeft geen boodschap aan deze blaag. Liever zou hij nietsziend over straat lopen in een wolk van verdriet of voor de televisie zitten die nu ongeveer begint.

— Dat is mijn zaak, zegt hij.

— Als iedereen zich erbij neerlegt komen we geen stap verder, zegt Lubbe.

Somberman zucht. Dit soort praatjes kent hij – die verkochten ze ook toen ze elkaar nog regelmatig ontmoetten in die eerste weken na het ontslag. Maar al spoedig trok iedereen zich terug in zijn privé-rouw.

— Spaar je de moeite, zegt hij en wil opstaan.

— Wacht nog even, zegt Lubbe. We zijn een actie aan het voorbereiden en we hebben iemand nodig die het Warenhuis kent.

— Wie zijn we? vraagt Somberman. En wat voor actie?

Hij is geen groot liefhebber van acties. Stenen die door winkelruiten vliegen, straten die worden opgebroken, trams waar je vol vertrouwen in stapt en die plotseling niet meer verder gaan of zonder waarschuwing resoluut

66

van hun route afwijken, het normale patroon van het stadsleven danig verstoord en dat alles ter wille van een aantal opgeschoten jongens en meisjes die onder het mom van idealistisch gemotiveerd te zijn hele wijken op stelten zetten. In wezen verschillen ze niets van de slungels die na afloop van een voetbalwedstrijd hun spoor van vernieling door de steden trekken. Relschoppers worden die laatsten genoemd, terwijl de eersten om de een of andere reden actievoerders heten. Somberman ziet het verschil niet erg tussen beide groeperingen. Het resultaat is in ieder geval hetzelfde. Misschien is het een kwestie van stand.

— 'We' zijn een aantal politiek bewuste jongeren, zegt Lubbe.

Bewuste jongeren. Somberman huivert van de term. Waarom zit hij hier zijn tijd te verdoen? Hij kan zijn tijd waarachtig wel beter gebruiken. Maar dan bedenkt hij moedeloos dat hij geen enkele manier weet waarop hij zijn tijd beter kan gebruiken.

— Politiek bewust waarvan? vraagt hij.

— Bewust van het feit dat de proletarische revolutie de enige uitweg is uit het kapitalistische moeras, zegt Lubbe. En van het feit dat we het zelf moeten doen.

— Daar zijn in een democratie partijen voor, zegt Somberman. En er zijn ook nog vakbonden.

— Die maken pas een vuist als het te laat is, zegt Lubbe. Partijleiders en vakbondsleiders zijn de handlangers van het kapitaal.

Blufkaak kijkt trots naar zijn zoon.

— Precies ik toen ik jong was, zegt hij. Alleen deden wij niets. Wij vergaderden alleen maar. Ze hadden ons precies waar ze ons hebben wilden: in een zaaltje, onderling ruzie makend. En dan kwam er aan het einde een verklaring uit en dan dronken we een borreltje en gingen we

67

tevreden naar bed met het idee dat we de wereldrevolutie weer een stapje dichterbij hadden gebracht. Maar zijn generatie is uit ander hout gesneden.

— Wat is er tegen het kapitaal? vraagt Somberman aan Lubbe. Mensen hebben er alleen maar iets tegen zolang ze het niet bezitten.

— Bezit jij het dan? vraagt Lubbe. En denk je dat je het ooit zult bezitten? Man, gebruik toch je verstand.

— Wat zijn jullie van plan? vraagt Somberman.

— Ze gaan het Warenhuis kraken, zegt Blufkaak.

— Niet kraken, zegt Lubbe. Bezetten.

— Je komt er nooit in, zegt Somberman, het ligt midden in de stad, de politie zit om de hoek en bovendien is het grondig dichtgetimmerd.

— Wij komen overal in, zegt Lubbe. Het punt is dat we erin willen komen zonder opzien te baren.

— Als dieven in de nacht, zegt Blufkaak.

Somberman is ten prooi aan tegenstrijdige gevoelens. Het is mijn Warenhuis, denkt hij, daar blijven jullie met je poten vanaf. Hoe zeggen de Engelsen dat ook alweer? Right or wrong, my country! Maar het Warenhuis is een leeg gebouw, alleen nog maar een speculatieobject. Het is ziekelijk om te blijven hechten aan een gebouw waar het personeel uit is gejaagd en waarvan de leiding het haze-pad heeft gekozen.

Voor Somberman is het echter geen leeg gebouw, maar zijn verleden. De gedachte dat vreemden huishouden in zijn herinneringen is onverdraaglijk. Alsof hem het laatste restje van zijn identiteit wordt afgenomen. De foto's uit het familiealbum gescheurd. Zijn naam uit het geboorteregister verwijderd. Het enige bewijs van zijn deelname aan het bestaan vernietigd.

— Jullie doen maar, zegt hij ten slotte tegen Lubbe die

68

hem rustig zit te bekijken. Ik wil er niets mee te maken hebben. Ik begrijp ook niet waar jullie mij voor nodig zouden hebben. Ik heb de indruk dat jullie je zaakjes heel goed zelf kunnen regelen.

Lubbe schrijft iets op een papiertje dat hij Somberman toeschuift. Er staat een adres op in het centrum van de stad.

— Vrijdag hebben we een vergadering, zegt hij. Als je zin hebt kom daar dan naar toe. Misschien kunnen we je overtuigen. Het heeft voor ons geen zin om gebruik van je diensten te maken als je er niet achter staat. Anders doen we het zonder jou. Maar bedenk één ding: er is al genoeg zonder jou gebeurd. Kom pa, op naar de volgende kroeg. Tijd om te biljarten.

Blufkaak en zijn zoon staan op.

— Heb ik te veel gezegd? vraagt Blufkaak. Een pure idealist. Maar praktisch. En spijkerhard, vergis je daar niet in. Nou, tot ziens op de barricades, zal ik maar zeggen.

Als ze weg zijn blijft Somberman nog een tijdje zitten. Er is al genoeg zonder jou gebeurd, die zin blijft hem bij. Heeft Bezig niet ongeveer hetzelfde gezegd gisteren? Er zijn grote hiaten in zijn herinnering aan de afgelopen nacht. Als hij eraan terugdenkt is het alsof hij met een zaklantaarn in een duistere kamer rondwaart. In het schijnsel van de lamp ziet hij sommige dingen helder: een stoelleuning, een deel van een schilderij, een nietszeggend stuk behang, een krant op tafel, maar duidelijk zicht op het geheel krijgt hij niet.

Soeza staat bij de tafel en pakt de lege glazen.

— Zou u me misschien even kunnen helpen? vraagt ze.

— Jawel. Waarmee?

— Duif even de trap af helpen. Ik krijg haar niet wakker.

Ieder aan een kant pakken ze Duif onder de oksels en hijsen haar overeind. Ze mompelt verwensingen, maar ontwaakt niet echt.

— Zometeen komen de vijf-uur-klanten en dan heb ik haar liever uit de buurt, zegt Soeza. De mensen gieten haar vol en ik blijf met haar zitten. Meestal verdwijnt ze uit zichzelf, maar vandaag is ze erger dan ooit.

— Hoe houdt ze het vol, zegt Somberman, het warme, zware, niet al te aangenaam ruikende lichaam van Duif voortsjorrend.

— Lang zal het wel niet meer duren, zegt Soeza. Volgens mij heeft ze al in dagen niet meer gegeten.

— Waar moet ze naar toe? vraagt Somberman.

Soeza gebaart met haar hoofd naar een deur opzij van de bar. Achter die deur leidt een trap naar beneden de kelder in, die vol biervaten, kratten en dozen met flessen staat. Tussen de voorraden in staat een kampeerbed. Nadat ze Duif met veel moeite de trap hebben afgeloodst, leggen ze haar op het bed neer.

— Ondergedoken, zegt Somberman als Soeza de deur van de kelder achter hen sluit.

— Ik laat het licht maar aan, zegt ze. Nog een pilsje?

— Ja, maar voor mijn rekening, zegt Somberman, en drink zelf iets. Soeza tapt een pils voor Somberman en perst twee sinaasappels uit voor zichzelf. Ze proosten. Ieder aan hun kant van de bar staande kijken ze naar buiten waar het nu volop schemert.

— Werk je hier elke dag? vraagt Somberman.

— Nee hoor, twee dagen in de week. Ik zou wel meer willen, maar de rest van de week staan er anderen. En ik werk ook steeds op verschillende dagen. Zo ontduiken ze de sociale lasten. Ik ben op zoek naar vast werk. Als u wat weet.

— Ik? Ik zit zelf zonder werk, zegt Somberman. Zeg alsjeblieft je tegen me.

— O.K.

Ze wrijft met een lapje de bar schoon.

Die twee kerels die daarstraks binnenkwamen die waren van de postale recherche, zegt ze na een tijdje.

— Wat wilden ze? vraagt Somberman.

— Ze wilden weten of er iemand hiervandaan had opgebeld.

— O? Waarom?

— Er schijnt hiervandaan steeds hinderlijk te worden opgebeld naar een bepaald adres, zegt Soeza.

— Hoe weten ze dat het hiervandaan is?

— Dat kunnen ze nagaan. Dan houden ze de binnenkomende telefoontjes van zo'n nummer in de gaten of zoiets, zegt Soeza, terwijl ze een sigaret opsteekt.

— En wat heb je gezegd? vraagt Somberman.

— Ik heb gezegd dat er iemand heeft gebeld en dat hij daarna meteen weer is weggegaan. Als ik een idee had wie het was moest ik de boodschap overbrengen dat ze geweest zijn.

— Ik heb gebeld, zegt Somberman, maar dat was naar mijn... een kennis over werk.

— Luister, zegt Soeza, het gaat mij niet aan. Iedereen doet maar waar hij zin in heeft. Maar de baas heeft liever geen recherche over de vloer.

— Kan ik inkomen, zegt Somberman.

De vaste klanten beginnen binnen te druppelen, maar Soeza blijft nog dralen aan de bar bij Somberman, die een lange eenzame avond in het verschiet ziet liggen.

— Een rare vraag, zegt hij snel, heb je zin om straks een hapje met me te eten?

— Ik werk vanavond, zegt ze.

71

— Soeza, drie pils en een jonkie, bestelt een van de vaste jongens en pakt de pokerbeker achter de bar vandaan.
— Morgenavond ben ik om zes uur vrij. Geldt het dan ook?
— Allicht, zegt Somberman. Hij rekent af, glimlacht naar haar en verlaat het café, verbaasd over zichzelf, maar nog meer over Soeza.

Wat beweegt haar om met hem op stap te willen?

— EEN MOOI KOOLTJE, dat heb je vast wel voor me, zegt Domoor tegen de groenteboer.
— Voor u altijd, zegt de groenteboer, kijk eens, wat zou u hiervan zeggen?
— Een beetje aan de grote kant, zegt Domoor.
— Dan pakken we toch een kleintje, doet de groenteboer joviaal. Sinds zijn zaak een paar maanden geleden is verbouwd draagt hij een modieus gesneden paars schort dat niet erg past bij zijn bonkige lichaam en zijn aapachtige armen. En hij heeft nu geen groentehandel meer, maar noemt het een groenteboetiek. Zijn fruit glanst alsof het met boenwas is gewreven en hij verkoopt allerhande uitheemse gewassen waarvan je met zekerheid kunt aannemen dat ze bij hem thuis nooit op het menu zullen staan. Maar je moet met je tijd meegaan.
— Kleiner kan ik ze niet maken, zegt hij en legt een kool op de toonbank. Anders nog iets? Ik heb lekkere kiwi's in de aanbieding.

Er is een ongelukkige trek op zijn gezicht gekomen.
— Of een smakelijke Waldorf-salade als voorafje? vervolgt hij, want hij heeft zich ook al tot salade-expert moeten ontwikkelen.

72

— Nee, hè? Niets voor u, hè? voegt hij er berustend aan toe.

— Ach nee, zegt Domoor, dat is aan mij niet zo besteed.

— Meneer, het is dat de klanten erom vragen, maar ik ben die troep liever vandaag kwijt dan morgen. Het is een hoop extra werk en ik verlies er alleen maar op. Maar als ik niet alles in huis heb zie ik de mensen niet meer terug.

— Laat ik dan maar eens een avocado proberen, zegt Domoor, hiermee een snel opgekomen schuldgevoel tegenover de groenteboer even snel de wereld uit helpend.

— Een avocado, herhaalt de groenteboer, ik zoek een mooie rijpe voor u uit.

Hij bevoelt de groene vruchten tot hij er een heeft gevonden die zijn goedkeuring weg kan dragen. Zijn handen zijn zo schoon als die van een apotheker.

Nadat hij in opdracht van Pijn-Daumesnil nog twee scharreleitjes heeft gekocht keert Domoor terug naar huis. De zoon van de melkboer – als hij dat tenminste is – komt juist de snackbar uit als Domoor met zijn boodschappentas de hoek omslaat. Domoor haalt diep adem. Nu of nooit, denkt hij.

— Mag ik jou eens iets vragen? spreekt hij de jongen aan, die hem onverschillig aankijkt en geen antwoord geeft.

— Ben jij niet de zoon van de melkboer, die hier vroeger zat? vraagt Domoor zenuwachtig.

— En wat dan nog? zegt de jongen, terwijl hij Domoor van hoofd tot voeten meet.

— Niets, niets, verzekert Domoor haastig. Ik vroeg het me gewoon af. Ik kwam vroeger altijd bij je ouders in de zaak. Hoe gaat het met ze?

— Hoe wil je dat het met ze gaat?

73

— Goed, hoop ik, zegt Domoor.

— Nou, dan gaat het toch goed met ze, zegt de jongen lijzig, alsof hij tegen een imbeciel spreekt.

Was hij dit gesprek maar nooit begonnen! Hij zou nu beter door kunnen lopen, maar hij blijft als gebiologeerd staan en hoort zijn mond klanken voortbrengen.

— Ik heb jou nog gekend toen je klein was. Je heet Tinus, hè? Teken je nog zo mooi? Je liet me altijd je tekeningen zien. Je had echt talent. Ben je erin doorgegaan?

De jongen grijnst.

— Jij woont op 24, hè? Boven dat oude lijk, zegt hij.

Domoor zwijgt geschokt. Wat een onaangenaam jong-mens! Hoe is het mogelijk dat er uit zo'n lief ventje zo'n nare lomperik kan groeien. Of zou er in de ruwe bolster toch een blanke pit schuilen?

— Ik ga eens verder, zegt hij.

— Ja, doe dat, zegt de jongen. Met het schichtig makende gevoel in zijn rug dat hij nagekeken wordt, en niet op de vriendelijkste manier, legt Domoor het stukje gracht naar zijn huis af.

Een paar uur later, na het eten, voelt Domoor zich nog steeds niet op zijn gemak. Het alleen zijn, dat doorgaans zijn grootste vreugde is, staat hem tegen. Zou hij bij Pijn-Daumesnil aankloppen? Maar dat doet hij nooit 's avonds. Ze zien elkaar 's ochtends bij de koffie en daarmee is de kous af, behalve de enkele keer dat hij een bood-schapje voor haar doet. Ze opent haar deur dan op een kier en pakt het door haar verlangde aan, meestal zonder bedankje.

Hij zou op bezoek kunnen gaan, bij Somberman bij voorbeeld, maar hij gaat 's avonds liever niet de deur uit. Het is niet pluis op straat, zeker niet in de buurt waarin hij woont – eens een veilige rustige buurt vol hardwerkende mensen die elkaar niet lastig vielen en in een redelijke verstandhouding met elkaar woonden. Maar de meeste van de oude bewoners zijn dood of verhuisd – de mensen die er nu wonen zijn een stuk jonger dan Domoor of dan zijn hoogbejaarde onderbuurvrouw, maar die komt al jaren niet meer buiten en denkt misschien wel dat alles nog bij het oude is. Met de nieuwe buurtbewoners, veelal studenten of wat er voor door wil gaan, heeft hij weinig contact. Ze spreken een andere taal en hebben weinig geduld.

Bovendien, Somberman, van hem word je de laatste tijd ook niet vrolijker. Die heeft zich de ondergang van het Warenhuis zo aangetrokken dat het lijkt of hij het leven heeft opgegeven. Om daar nu die hele tocht voor te maken met alle gevaren vandien, nee. Hij kan hem wel even opbellen om zomaar een praatje te maken, misschien is dat voldoende om zijn onrust te verjagen.

Er wordt niet opgenomen bij Somberman. Domoor zet de televisie aan en kijkt ernaar tot hij in een staat van verdoving is geraakt. Als hij naar bed gaat neemt hij een halve slaappil die hij voor noodgevallen in huis heeft. Hij wil maar liever aan niets denken en deze dag zo snel mogelijk achter zich laten.

GEBREK AAN GELD hebben Somberman en Bezig niet. Bezig verdient een aardig salaris bij het Greenback Hotel en Somberman heeft zijn uitkering. Bokkesprongen kunnen ze er niet van maken, als ze eens buiten de deur eten kiezen ze niet het duurste uit. Daar zijn ze trouwens toch niet de mensen voor, zegt Somberman altijd. Zo weert hij veel uit zijn leven. Naar het theater of naar een concert gaan, een tentoonstelling bezoeken, meelopen in een protestoptocht – zelfs voor een door alle gezindten erkend goed doel – voor al die dingen zijn ze volgens Somberman niet de mensen. Misschien valt het krijgen van kinderen ook wel onder die noemer.

Maar met Soeza gaat hij naar het restaurant La Vie Est Belle, want het lijkt hem niet zo feestelijk om met haar naar de Chinees te gaan. Laatst heeft hij in de krant een artikel gelezen over La Vie Est Belle. Je schijnt er vaak bekende mensen te zien en het eten is er ook in orde, meldde het dagblad. Hij heeft een tafel gereserveerd voor half acht. Als ze op het afgesproken tijdstip in het restaurant komen is hun tafel echter nog bezet.

Hij komt zo vrij, verzekert de ober hen, een lange jongeman met een hoge witblonde kuif, die mensen moeten naar de schouwburg. Als u zolang aan de bar wilt wachten.

Gehoorzaam gaan ze aan de bar zitten. Mooie truc, denkt Somberman, zo verdienen ze aan de bar ook nog geld.

Ze bestellen rode wijn, want dat lijkt ze onontkoombaar in een restaurant met zo'n naam.

— Het drankje is van de zaak, zegt de ober. Dat valt dus weer mee.

Opzij van de bar hangt een schoolbord waarop met krijt het menu staat geschreven. In het Frans en dat is niet Somberman's sterkste taal, noch die van Soeza. Maar tournedos herkent hij en bifteck zal wel biefstuk zijn en champignons is ook maar voor een uitleg vatbaar.

Een afspraakje! Het is lang geleden dat Somberman afspraakjes had en die waren altijd met Bezig. Tijdens hun huwelijk had hij één keer eerder een afspraakje gemaakt. Met een typiste van kantoor, hij weet haar naam niet meer, zoals hij veel dat met het Warenhuis heeft te maken verdrongen heeft.

Nu ja, een afspraakje: het gebeurde na een borrel op kantoor en ze waren allemaal een beetje aangeschoten en in een vertrek vol behoesde schrijfmachines kuste hij haar en streelde over haar rug en billen. Elly heette ze, nu weet hij het weer. Ze waren samen in de lift naar beneden gegaan, Somberman's hoofd vol verwarde plannen. Eerst nog iets drinken, iets eten en dan naar een hotel? Maar hoe ging dat, moest je daar niet getrouwd voor zijn? Hij was nog nooit met een andere vrouw in een hotel geweest. Of naar haar kamer? Dat zou ze zelf moeten aanbieden, want hij zou het haar nooit durven voorstellen. Maar het probleem werd voor hem opgelost, toen Elly tussen de tweede en de eerste verdieping een golf van braaksel deed neerspatten op de vloer en zijn schoenen. Met een gezonde zinnelijke vrouw was hij boven de lift in gestapt, met een kokhalzende patiënt kwam hij er beneden uit.

Van opzij kijkt hij naar Soeza's mooie profiel. Ze hebben nog niet veel met elkaar gesproken. In het café hadden ze nauwelijks de kans, omdat Soeza, hoewel ze na zessen vrij was, zich er toch niet aan kon onttrekken om nog wat na te praten met de klanten, die tenslotte ook een soort kennissen waren. Ze is ook zo veel jonger dan hij, er zijn geen ervaringen die ze als generatiegenoten automatisch delen.

Eigenlijk zit Somberman een beetje in zijn maag met dit uitje. Het leek allemaal zo gemakkelijk in het café, maar erbuiten zijn ze twee aan elkaar overgeleverde vreemden. Maar via de wijn (en hoe daar in Soeza's café mee gerommeld wordt), vakantie in Frankrijk (Parijs een mooie stad, maar wel erg druk) raken ze tijdens het eten toch in een niet al te hortende conversatie over films, televisieprogramma's en de voor- en nadelen van het wonen in de stad. Ondanks de banaliteit van hun woorden voelt Somberman op de achtergrond ervan een constante warmte, een vertrouwen in de geldigheid van hun aanwezigheid hier. Het is of het er niet zoveel toe doet wat ze zeggen, of het om iets anders gaat. Hij heeft zich in lange tijd niet zo op zijn gemak gevoeld. Het spookbeeld van nooit meer aan de slag te komen is, tijdelijk ongetwijfeld, maar toch, verdwenen. Hij beseft dat hij een bijna onbeschreven blad voor haar is. Ze weet niets van zijn falen.

— Ach, ik vind weer werk, zegt hij, het is nu even moeilijk, maar de tijden zullen wel veranderen.

En hij straalt mannelijke rust en zekerheid uit, terwijl hij zich tegelijkertijd een beetje schuldig voelt tegenover Bezig, die wel anders te horen krijgt.

— Morgen ga ik praten met die jongen waarmee ik gisteren zat. Die heeft me nodig voor iets, zegt hij om te bewijzen dat er wel degelijk vraag naar hem bestaat en dat hij contact met jongeren niet schuwt.

— Lubbe? vraagt Soeza.

— Ja. Ken je hem?

— Niet goed. Hij komt zo af en toe in het café met zijn vader. Hij zegt nooit veel. Het is een kraker.

— Ja, zoiets had ik begrepen, zegt Somberman. Ach, die jongens doen tenminste iets. Die komen voor hun mening uit. Dat zouden mensen meer moeten doen.

Tijdens het dessert besluiten ze om naar de film te gaan. Terwijl ze in de garderobe hun jas aantrekken, komt er eindelijk een Nederlander binnen wiens gezicht hun bekend voorkomt, want ondanks de bewering in de krant hebben de beroemdheden tot nu toe verstek laten gaan. Ze kennen zijn gezicht van de televisie of van een

78

foto, maar ze kunnen geen van beiden op de naam van de bekende Nederlander komen.

In de bioscoop legt Soeza haar hoofd op zijn schouder. Met wild bonzend hart blijft hij bewegingloos zitten. Na een tijdje pakt hij haar hand en kust haar haar. Hij voelt zich een jongen, alleen heeft hij dit als jongen nooit meegemaakt. Waar de film over gaat dringt nauwelijks tot hem door. Het is een Amerikaans huwelijksdrama, een man en een vrouw die steeds ruzie hebben (waarover is hem ontgaan) en een kind dat dat allemaal moet meemaken. Dan loopt het kind weg en krijgen ze spijt en gaan op zoek naar het kind, wat aanleiding geeft tot het tonen van talloze mooie landschappen.

Er wordt veel gehuild in de film en ook in de zaal is gesnotter hoorbaar. Somberman kijkt tersluiks of er op Soeza's wangen iets nats is te bespeuren, maar nee. Misschien dringt het ook tot haar nauwelijks door wat er op het doek aan de hand is.

— Wat zullen we doen? vraagt hij als ze buiten staan. Heb je zin om nog iets te drinken?

Daar heeft Soeza niet zo veel zin in. Ik heb de hele dag al in het café gestaan.

— Nou, zegt Somberman aarzelend, dan ga ik maar eens naar huis. Als we een taxi nemen, dan breng ik jou eerst wel langs.

— Ik woon hier vlakbij, zegt Soeza, waarom ga je niet met me mee?

Het is nog donker als Somberman wakker wordt in de vreemde kamer. Hij herinnert zich dat Soeza op de grond naast het bed een wekkertje heeft neergezet toen ze uiteindelijk gingen slapen. Voorzichtig buigt hij zich over haar heen en graait ernaar. Tien voor vijf. Hij kust haar op een zacht plekje onder haar oor en glijdt het bed uit. Op de tast zoekt hij zijn kleren bij elkaar en gaat er mee naar de keuken waar hij het licht aandoet. Hij kleedt zich aan en schrijft een briefje op de achterkant van een envelop die op de keukentafel ligt. Dan gaat hij weer naar binnen en legt het briefje naast de wekker op de vloer. Soeza slaapt vast en op zijn tenen sluipt hij haar kamer uit en de trap af.

Door de kille ochtend loopt hij over straat en voelt zich zoals hij zich in jaren niet heeft gevoeld. Hij kan alles aan, alleen moet hij nu nog iets vinden om aan te kunnen. Waarom zei je ja toen ik je vroeg om met me te gaan eten? Wat zag je in me? vroeg hij aan Soeza toen ze naast elkaar in bed lagen en, zoals de traditie dat wil, een sigaret rookten. Je maakte zo'n verloren indruk, antwoordde ze. En ik vond je aardig. En ik ben nogal helperig van nature. Nu, dat was misschien niet precies het antwoord waarop hij had gehoopt, maar zo naast haar liggend met een moe voldaan lichaam had hij er vrede mee.

Als hij thuiskomt ligt Bezig op de bank te slapen. Hun ruzie is kennelijk nog niet over. Gesterkt door de ervaring die hij net achter de rug heeft laat het Somberman koud. Hij kleedt zich voor de tweede keer die nacht uit, stapt in zijn eigen bed en valt in diepe slaap.

VOOR HET EERST sinds lange tijd staat Somberman vroeg op, ondanks het late uur waarop hij in zijn eigen bed belandde. Bezig zit nog in de keuken met het ochtendblad voor zich. Als hij binnenkomt kijkt ze even naar hem met opgetrokken wenkbrauwen en verdiept zich dan weer in haar krant. Uit haar blik meent Somberman niet zozeer goedkeuring over zijn vroeg uit de veren zijn op te maken, als wel afkeuring over alle ochtenden dat hij dat niet was. In ieder geval blijkt dat ze nog niet tegen elkaar praten en dat komt Somberman heel goed uit. Hij verlaat de keuken op weg naar de badkamer en in een opwelling van kinderachtigheid steekt hij zijn tong uit in de richting van de keukendeur. Hij denkt aan zijn nacht met Soeza en heeft moeite een Tarzankreet te onderdrukken. Alles wijst erop dat zijn nieuwe leven is begonnen en hij verbaast zich over zijn onverhoeds teruggekeerde vitaliteit, want op de keper beschouwd zijn de omstandigheden nauwelijks veranderd. Dit is ook een ander soort vitaliteit, die uit eigen wil voortkomt en niet, zoals vroeger, uit plichtsgevoel.

Vervuld van een enigszins plechtige vreugde over zijn eigen gevoelens, gaat hij bijna tegelijk met Bezig het huis uit. Ze hebben al die tijd geen woord gewisseld en er ook niet de behoefte toe gevoeld. De bloemenman op de hoek van de straat ontsluit juist zijn kraam en zet de emmers met chrysanten uit op het trottoir. Verderop staat de drogist zijn etalageraam te wassen. Het café waar Soeza werkt is nog gesloten en ziet er onherbergzaam uit. Somberman denkt aan de lucht van verschaald bier en sigaretteas die er nu moet hangen en rilt even. Wat is hij gezond vandaag!

Doelbewust neemt hij de tram naar de binnenstad. Hij weet dat de tram door de buurt komt die hij lang gemeden heeft, de buurt waarin het Warenhuis staat en als hij langs het gebouw rijdt doet het hem verdriet om het eens zo fiere gebouw in verkommerde staat aan te treffen, maar het is geen verdriet dat hem in het diepste dal van de wanhoop stort. We zullen wel eens zien wie de sterkste is, denkt hij vastberaden.

Op het adres dat Lubbe hem gaf blijkt een koffiehuis te

zijn gevestigd. Er staat wat wrak meubilair en het hangt er vol affiches die oproepen diverse bedreigde mensensoorten te ondersteunen. In de raamkozijnen staan sterk vergeelde planten.

Aan een grote tafel achterin zitten Lubbe en een aantal gelijkgezinde leeftijdgenoten, die hem achterdochtig bestuderen.

— Weet je zeker dat het geen stille is? vraagt er een.

— Dat weet ik van jou niet eens zeker, zegt Lubbe.

Somberman pakt een stoel en schuift tussen de actievoerders in. Hij moet even denken aan de koffiepauze in de kantine van het Warenhuis, maar dit is wel iets anders.

Hij schraapt zijn keel en zegt: — Ik ben geen stille, ik ben gewoon een ex-werknemer van het Warenhuis die niet heeft kunnen verkroppen dat hij op straat is gezet. Ik weet niet of ik jullie zaak aanhang – revolutie en arbeidersklasse, dat vind ik allemaal maar woorden die in boekjes misschien betekenis hebben, maar in het leven buiten de boekjes niet zoveel voorstellen. Als ik met jullie meedoe is het uit zuiver persoonlijke motieven, maar misschien bekeren jullie me alsnog, je weet nooit, vandaag lijkt me alles mogelijk. Wat willen jullie dat ik doe?

Lubbe denkt na.

— We willen dat je namens de werknemers van het Warenhuis iets zegt voor het televisiejournaal, zegt hij dan.

Daar schrikt Somberman een beetje van.

— Moet ik dan naar Hilversum of hoe gaat dat? vraagt hij.

— Er gaat een verslaggever van het journaal mee met de actie, zegt Lubbe. Die pikken we straks bij het gebouw op.

— Straks?

— Over een uur. Dan gaan we erin.

— Midden overdag? vraagt Somberman. Ze hebben jullie te pakken voor je erin bent.

— Wij zijn verschrikkelijk snel, zegt Lubbe. Voor de mensen het in de gaten hebben zijn we al binnen.

— Ik weet iets beters, zegt Somberman. Aan de achterkant van het Warenhuis is een parkeergarage. Op de bovenste verdieping zit een deur waardoor je in het Warenhuis kunt komen. Die is natuurlijk op slot, maar ik maak me sterk dat ze die niet dichtgetimmerd hebben. En dat slot moet voor julie kinderspel zijn.

Een van de actievoerders, die tot nu toe zwijgend hebben toegehoord, slaat Somberman lachend op de schouderbladen.

Somberman straalt. Hij is geaccepteerd!

VRIJDAGAVOND, de najaarsstorm jaagt door de straten en rukt de laatste blaren van de bomen. Het concert begint, op de planken van de schouwburg nemen de acteurs hun plaatsen in en Domoor zet het journaal aan. Hij heeft zich voorbereid op de zoveelste avond rustig thuis. Op een tafeltje naast de bank staan een schaal met koekjes en een karafje rode wijn, een kleine extravagantie die hij zich heel af en toe veroorlooft.

Hij voelt zich aangenaam moe, vanmiddag heeft hij in een aanval van bedrijvigheid zijn appartement grondig schoongemaakt. Nogal overbodig eigenlijk, want zijn woning is altijd kraakhelder, maar de geest kwam over hem en plotseling vermoedde hij overal stofnesten en vingerafdrukken op deuren, en vieze voeten op de keukenvloer, en vettige zeepresten in de douchecel. En voor hij het wist stond hij als een gek te boenen en te dweilen. Misschien kwam het door de wind die onrustig maakt of door het feit dat hij de laatste nachten slecht heeft geslapen en niet alleen 's nachts maar ook overdag spoken ziet. Hoe dan ook – hij voelt zich nu een stuk rustiger.

Hij was zo in de weer dat Pijn-Daumesnil onder aan de trap verscheen en hem vroeg wat hij in hemelsnaam aan het doen was en hoe lang het nog zou duren. Hoewel ze wat dovig is heeft ze een goed gehoor voor dingen die haar kunnen hinderen. 's Avonds kan hij echter ongestoord de televisie aan hebben, want Pijn-Daumesnil gaat al om acht uur naar bed, valt dan ondanks haar leeftijd als een blok in slaap tot ze om een uur of drie in de nacht ontwaakt en in de stille uren voor de dageraad haar leven in gedachten herleeft.

Plotseling komt Domoor overeind uit zijn luie houding. Op het televisiescherm ziet hij tot zijn verbazing het Warenhuis verschijnen. Op het dak wappert een grote zwarte vlag. De nieuwslezer meldt dat het gebouw aan het eind van de ochtend is gekraakt door een onbekend aantal actievoerders. Voor het gebouw staat een kleine menigte nieuwsgierigen (dat zullen er straks wel meer worden!), maar veel te zien is er niet, het gebouw biedt met zijn dichtgespijkerde etalages en toegangen dezelfde desolate aanblik als altijd. Maar het journaal is erin geslaagd in het Warenhuis door te dringen en interviewt een woordvoerder van de bezetters, zoals ze genoemd willen worden, een man met een bivakmuts en een zonnebril op. Parterre, ziet Domoor meteen en kilte slaat om zijn hart als hij de immense verlaten ruimte ziet, alleen de toonbanken staan er nog. Hier en daar bewegen wat figuren, sommigen op rolschaatsen, maar ze gaan bijna verloren in de leegte.

Revolutionaire jeugd, in samenwerking met op straat

gezette werknemers van het Warenhuis, heeft bezit genomen van dit symbool van de kapitalistische uitbuiters-maatschappij, leest de woordvoerder voor van een papiertje. Vanhieruit zullen wij onze strijd voeren tegen het verslindende roofdier dat kapitalisme heet en dat door stad en land zijn kaalgevreten skeletten achterlaat. We roepen iedere klassebewuste stadgenoot op die strijd met ons te voeren.

Als de gemaskerde is uitgelezen kijkt hij opzij en knikt. De camera zwenkt naar een man met onbedekt gelaat. Domoor valt bijna van de bank van verbijstering. Het is Somberman! Domoor staat op en loopt naar het televisie-toestel toe. Even heeft hij het gevoel dat er iets mis is met het toestel, een technische storing van kosmische aard. Somberman hoort nu thuis te zitten en met zijn vrouw naar het journaal te kijken, in plaats van eròp te zijn. Dit kan niet, dit moet een vergissing zijn, het is iemand die als twee druppels water op hem lijkt.

Maar die dan ook de stem van Somberman heeft! Aan de grond genageld luistert Domoor naar het korte gesprek met zijn oude collega.

— U heeft hier gewerkt? vraagt de interviewer.

— Ik heb hier bijna vijftien jaar op de boekhouding gewerkt, zegt Somberman, Domoor's laatste twijfel wegnemend.

— En toen bent u ontslagen?

— Ontslagen? We zijn op straat gesmeten van de ene dag op de andere, zegt Somberman. Als oud vuil hebben ze ons behandeld.

— Wat denkt u te bereiken met de bezetting van dit pand?

— Ik weet het niet, zegt Somberman, maar er moest iets gebeuren en nu eens een keer niet zonder mij. En ik wil mijn collega's oproepen om hiernaartoe te komen en ons te steunen. We moeten laten zien dat we ons niet zomaar aan de kant laten schuiven. De maat is vol, voegt hij er wat onwennig aan toe.

En de man met de bivakmuts roept 'solidariteit' en balt zijn vuist.

Het beeld van Somberman maakt nu plaats voor dat van de verslaggever, die weer buiten staat en zich nauwelijks kan staande houden in een zich achter hem verdringende menigte, waarvan sommigen uitzinnig naar de camera zwaaien en grijnzen.

De burgemeester weigert commentaar te geven, zo sluit de verslaggever af, maar volgens een woordvoerder van de gemeente komt de raad in de loop van de avond in spoedzitting bijeen. Dat was vanmiddag de situatie in en om het gekraakte Warenhuis.

Mijn vriend is waanzinnig geworden, denkt Domoor. Wie zou ooit gedacht hebben dat hij gemene zaak zou maken met oproerkraaiers? Hij moet nog wanhopiger zijn geweest dan ik dacht. Ik dacht dat we wel wat van elkaar weg hadden, twee betrekkelijk rustige mensen die nooit tot buitensporige daden zouden overgaan. Somberman is aan me ontstegen. Hij is in één klap een vreemde geworden. Ik kan hem hier niet in steunen. Dit is... dit is anarchie. Daar mogen we nooit aan toegeven, ongeacht de omstandigheden. Maar moet ik hem als vriend niet bijstaan? Hoe kan ik hem helpen? Ik ben het absoluut niet met hem eens. Ik kan hem alleen maar zeggen ermee op te houden en daar zal hij wel niet op zitten te wachten. Trouwens, ze laten me toch niet bij hem. De omgeving zal wel afgezet zijn. Het volk zal toestromen nu het op televisie is geweest. Er zullen wel rellen van komen. Het idee midden in een straatgevecht terecht te komen lokt Domoor niet aan. 's Avonds over straat gaan is iets wat hij toch liever vermijdt. Dat is hem veel te gevaarlijk.

Domoor ijsbeert door de kamer. Zijn geweten laat hem niet met rust. Laat hij dan in ieder geval Bezig bellen, dan doet hij toch iets.

— Ik sta met mijn jas aan, zegt Bezig, ik heb het ook net op het nieuws gezien. Heeft hij er met jou over gesproken?

— Nooit, zegt Domoor en wil een lang verhaal beginnen.

— Ik hang op. Ik ga ernaartoe, zegt Bezig.

Wat een toestand, denkt Domoor, als dat maar goed afloopt. Hoofdschuddend staat hij in de kamer. Maar hij voelt zich toch wat rustiger nu hij weet dat iemand zich met de zaak bezighoudt. En wie is dat beter toevertrouwd dan Somberman's vrouw? Domoor zou maar in de weg staan. Later, als Somberman weer bij zinnen is, zullen ze erom kunnen lachen. Hij doet de televisie uit en pakt een luchtige Engelse roman uit de kast, die hij al een paar keer heeft gelezen en waardoor hij gegarandeerd opnieuw vermaakt zal worden.

Geruime tijd later gaat de bel. Somberman! is het eerste wat Domoor denkt. Wie anders zou er nog zo laat bij hem aanbellen? Het is al tegen elven. Hij schuift het raam aan de voorkant open en kijkt naar beneden. Er staat iemand maar hij kan niet goed zien wie het is.

— Wie is daar? roept hij.

De aangeroepene doet een stap achteruit en kijkt naar boven.

— Ben jij het, zegt Domoor. Ik lig al in bed, voegt hij er verward aan toe. Wat is er?

— Doe even open, zegt Tinus, de zoon van de melkboer, die vroeger zulke mooie tekeningen maakte.

— Weet je wel hoe laat het is?

— Doe open, houdt Tinus aan.

— Ik denk er niet aan, zegt Domoor, kom morgen maar. Hij schuift het raam weer dicht. Onmiddellijk daarop gaat de bel weer en blijft bellen – Tinus houdt kennelijk zijn vinger erop.

— Verdomme! zegt Domoor, wat krijgen we nu!

Hij schuift het raam weer open.

— Wil je daar meteen mee ophouden?

Maar de jongen kijkt niet eens naar boven en blijft op zijn gemak staan bellen.

Dat geluid is om gek van te worden! Domoor haast zich naar de gang en drukt op de zoemer. De buitendeur springt open en het bellen houdt op. Tinus komt het huis in en loopt niet al te zachtjes de trap op.

— Wie heeft je gevraagd om boven te komen? zegt Domoor. Wat zijn dat voor manieren?

De jongen, die meer dan een hoofd groter is, zet zijn hand op Domoor's borst en duwt hem de kamer in.

— Maak je niet zo druk, ik kom gewoon even buurten, zegt hij. De gordijnen voor het open raam wapperen de kamer in. Tinus staat midden in de kamer en kijkt rond.

— Wat kom je hier doen? vraagt Domoor. Vreemd genoeg voelt hij zich niet bang, maar ijzig kalm, zoals hij zich nog nooit heeft gevoeld. Het is alsof hij op een ander plan leeft waar de voor de hand liggende emoties geen kans krijgen. Hij kijkt naar de deur, maar de jongen staat er dichterbij. Hij had natuurlijk niet open moeten doen, maar dat constante bellen bracht hem van zijn stuk.

— Ik moet je verzoeken om weg te gaan, zegt hij.

— Wat een haast, grijnst Tinus. Je schenkt je gast toch zeker wel iets in?

Hij ziet het karafje met rode wijn dat nog half gevuld is, zet het aan zijn mond en drinkt het leeg. Daarna gooit hij het tegen de verwarming waar het uit elkaar spat.

— Bedankt, zegt hij. Gezellig woon je hier. Je moet alleen niet zo'n rommel maken.

Met een haal zwiept hij een rij boeken uit Domoor's boekenkast op de grond.

— Laat dat, zegt Domoor.

— Ik heb eens goed over vroeger nagedacht, zegt Tinus, en volgens mij ben jij die kerel die nooit zijn rekeningen betaalde. Dat heeft mijn ouders de zaak gekost.

Domoor lacht hardop. Kun je niets beters verzinnen? wil hij zeggen, maar voor de woorden uit zijn mond zijn heeft hij een slag op zijn gezicht te pakken die hem doet wankelen.

— Smerige poot, er valt niks te lachen, zegt Tinus. Hij heeft opeens een mes in zijn hand.

— Mijn neus bloedt, zegt Domoor.

— Dat vind ik nou echt zielig voor je, zegt Tinus. Weet je wat er gebeurt met ouwe poten die hun rekening niet betalen?

— Ja, dat weet ik, zegt Domoor, ik zal betalen. Nu meteen. Maar ik heb niet veel geld in huis.

— Dat is niet zo slim, zegt Tinus en pakt de portefeuille aan die Domoor hem voorhoudt. Hij opent de portefeuille, haalt er de paar biljetten uit die erin zitten en stopt die in zijn broekzak.

— Je hebt vast nog wel iets, zegt hij. Cheques? Iedereen heeft cheques.

Domoor loopt naar zijn bureautje, haalt zijn cheques en zijn betaalpas uit een laatje en overhandigt ze aan de jongen.

— Je horloge.

Domoor doet zijn horloge af. Het bloed druipt uit zijn neus op zijn overhemd en op de vloer. Hij gaat met zijn mouw langs zijn neus, maar dat helpt niet. Hij is nog steeds kalm, alsof het een ander is die dit overkomt en die ander altijd heeft geweten dat dit een keer zou gebeuren. Hij heeft het gevoel dat de rest van de wereld is opgehouden te bestaan, dat al het resterende leven zich in deze kamer met die wild wapperende gordijnen heeft geconcentreerd.

— Dan zullen we het hier maar bij laten voor vanavond, zegt Tinus en hij loopt naar de deur. Maar als hij bij de deur is gekomen staat hij stil en dan, alsof hij iets vergeten is, komt hij weer terug en steekt Domoor met een snel, krachtig gebaar in zijn hart.

'S MORGENS OM HALF VIJF komen ze. De storm, die al in de vooravond de slecht bevestigde zwarte vlag van het dak heeft gerukt, is uitgeraasd. De duizenden nieuwsgierigen die gestimuleerd door het televisiejournaal naar het Warenhuis trokken om er, op veilige afstand gehouden door de politie, naar het gebouw te staren, zijn geleidelijk aan naar huis gegaan, op een handjevol doorzetters na, een tijdje lang versterkt door wat schreeuwende nachtbrakers tot ook die een voor een afdropen.

Ook de vroegere werknemers van het Warenhuis die naar de binnenstad kwamen liggen al lang op een oor. Het merendeel kwam uit nieuwsgierigheid zoals de andere toeschouwers of uit een nog nazinderende betrokkenheid bij het wel en wee van het Warenhuis – slechts een enkeling met revolutionaire motieven. Een paar uur lang waren ze belangrijk en werden door het publiek met respect behandeld, maar de tijd voor de grote opstand is nog niet daar. Men steekt zijn nek liever niet uit.

Bezig is weer thuis. Ze heeft erover gedacht om Domoor te bellen, maar ze zag ervan af omdat ze niet zoveel te

90

vertellen had. Toen ze zich bij de afzetting bekend maakte als vrouw van Somberman bracht een politie-officier haar naar een aanwezige wethouder toe die haar aanraadde om maar weer naar huis te gaan, want het kon nog dagen, misschien wel weken, duren. Hij nam haar mee een café in om een glas bier te drinken en vroeg haar uit over Somberman, maar Bezig gaf nietszeggende antwoorden. Dat kon ook niet anders, want ze besefte van déze Somberman niets te weten. Wil ze iets van hem weten? Ze is klaarwakker. Als ik van hem wil scheiden moet ik het nu doen, denkt ze.

Intussen sluipen de getraliede zwarte bussen dichter bij het Warenhuis en posteren zich in zijstraten. De inzittenden doen een dutje, controleren hun uitrusting of korten zich de tijd met kaarten.

Professor Knoert heeft beslag gelegd op een verdieping van het Warenhuis. — Mijn atelier, zegt hij tegen Lubbe en Somberman. Voor zijn oog doemt opnieuw het luchtige gevaarte op dat de stad en de dromen van de stad zal verbeelden. Alleen, waar haalt hij het materiaal vandaan? Tijdens een snelle inspectie heeft hij in het gebouw weinig bruikbaars aangetroffen, tenzij hij het interieur zelf zou slopen. Met zo'n lift is natuurlijk van alles te doen en de roltrappen bieden ook tal van mogelijkheden.

— Hier kan ik mijn droom verwezenlijken, zegt hij.

— Ik hoop dat je de tijd hebt, zegt Lubbe.

— Denk je dat we die niet hebben? vraagt Somberman.

— Ze hebben nog geen onderhandelaar gestuurd, zegt Lubbe. Dat kan betekenen dat ze niet weten wat ze moeten doen en dan zitten we voorlopig safe, maar het kan ook betekenen dat ze al een besluit hebben genomen. En dan kunnen we de ME elk ogenblik verwachten.

— Moeten we de zaak van binnen niet barricaderen?

vraagt Somberman. We laten ons er toch niet zomaar uit jagen.

Hij brandt van verlangen om iets te doen dat zoden aan de dijk zet. Hij heeft het gevoel dat hij zijn verschijning voor de camera van het televisiejournaal waar moet maken.

— Daar is geen beginnen aan, zegt Lubbe, het is veel te groot.

— Ja, maar dat kàn toch zo maar niet, sputtert Somberman verontwaardigd.

Lubbe haalt zijn schouders op. Hij is ontevreden over zichzelf. Voor het eerst heeft hij de werkelijkheid uit het oog verloren en zich door een te grote droom op sleeptouw laten nemen. Een droom waarin van heinde en verre mensen naar het Warenhuis toe kwamen om de revolutie te verdedigen en te bevechten. Maar er is niemand komen opdagen. Ja, de gewone sensatiezoekers, maar niet de arbeidersklasse met haar verweerde koppen en machtige arm. Hij heeft een verkeerde beoordeling van de situatie gemaakt, beter gezegd, hij heeft helemaal geen beoordeling gemaakt. Deze actie is te vroeg gekomen. Nooit mag hij meer zo'n fout maken. Hij zet het Warenhuis uit zijn hoofd en begint aan de toekomst te denken.

Dan klinkt beneden het knallen van splijtend hout, gerinkel van ruiten en geschreeuw.

— Daar heb je ze, zegt Professor Knoert. Hij werpt een ongelukkige blik op de ruimte waarin ze staan. Nog een geluk overigens dat hij nog niet aan zijn kunstwerk begonnen is. Het zit nog altijd goed beschermd in zijn hoofd opgeborgen.

— We moeten iets doen, zegt Somberman. Hij kijkt tevergeefs om zich heen of hij iets ziet dat hij als wapen kan gebruiken.

— We gaan eruit, zegt Lubbe, de daad is gesteld, het heeft geen zin om hier langer te blijven.

Hij gaat de trap af, aarzelend gevolgd door Professor Knoert.

— Voor de revolutie moet je vechten! roept Somberman hem woedend na. Dacht je dat je het cadeau kreeg?

Stelletje lafbekken! Hij rent de trappen op tot hij op de bovenste etage komt. Hij kijkt naar buiten en ziet hoe de bezetters begeleid door de politie het gebouw verlaten – Lubbe als laatste. Het gaat kalm toe. Er wordt zelfs gelachen.

De daad is gesteld, heeft Lubbe gezegd. Misschien is dat voor hem voldoende, maar Somberman heeft het gevoel opnieuw te zijn bedrogen. Dezelfde woede en machteloosheid komen over hem als op die heilloze dag toen ze te horen kregen dat het Warenhuis bankroet was. Ondanks hun woede hadden ze toen het gebouw gedwee verlaten. Het was niet in hun hoofd opgekomen om iets anders te doen.

Nu is hij in het Warenhuis gebleven, dat is het verschil. Op de trap hoort hij het geluid van naderbijkomende stemmen en voetstappen. Hij gaat naar de kamer waar hij jaren heeft gewerkt. Het meubilair staat er niet meer, alleen de kalender hangt nog aan de muur. De vloer ligt bezaaid met papieren en enveloppen, maar verder is het een kale kamer van iedere geest ontdaan. Dit blijft er dus over van jarenlang je plicht doen. Te bedenken dat hij deze ruimte zo lang als zijn tweede huis heeft beschouwd, misschien zelfs als zijn eerste, want zijn werk ging altijd voor. Nu voelt hij zich bijna even leeg als dit vertrek. Wat blijft er van hem over als hij hier ook weggaat? Lubbe mag dan zijn daad gesteld hebben, maar hij, Somberman, wat moet hij? Wordt hij een van de velen die zonder ooit iets bereikt te hebben naamloos door de geschiedenis worden opgeslokt? Zal hij de rest van zijn leven doorbrengen als de onbenullige man van Bezig die voor de televisie zit te kijken hoe andere mensen hun leven leiden? Denk aan de Weense kindertjes!

In koude drift duwt hij met zijn voet de paperassen die op de vloer liggen op een hoop. Hij heeft in de gang een paar kartonnen dozen zien staan. Die legt hij erbij. Hij pakt zijn lucifers, doet er een ontvlammen en houdt die bij het papier. Rook begint omhoog te kringelen. Even later zoeken de vlammen gretig hun weg en laaien al hoog op als er een politieman in de deuropening verschijnt.

— Hier steekt er een de boel in de fik! roept hij. Hij springt naar voren en trapt het vuur uit elkaar terwijl Somberman hem dat probeert te beletten. Er komen meer politiemannen aangestormd, ze slaan Somberman neer. Terwijl hij half buiten kennis op de vloer ligt sjorren ze zijn armen op zijn rug en doen hem de handboeien om. De laatste vlammen worden gedoofd. Hier en daar smeult het nog een beetje na als Somberman hangend tussen twee agenten in de trappen wordt af gesleurd.

CELLENTEKORT brengt de politie ertoe om Somberman in de loop van dinsdagochtend op vrije voeten te stellen, in afwachting van het proces dat hem te wachten staat.

Brandstichter Warenhuis alweer vrij, zullen de kranten die avond met vette letters melden.

Buiten ligt het leven op de loer, klaar om toe te slaan met nieuwe calamiteiten, maar Somberman weet dat niets hem voortaan meer van zijn stuk kan brengen.

Het eerste wat hij doet als hij het politiebureau achter zich heeft gelaten is een bos witte chrysanten kopen. Als hij niet te lang op de tram hoeft te wachten is hij nog op tijd voor Domoor's begrafenis.

VAN REMCO CAMPERT BIJ DE BOEKHANDEL

Liefdes schijnbewegingen
Hoe ik mijn verjaardag vierde
Het leven is vurrukkulluk
Een ellendige nietsnut
De jongens met het mes/Nacht op de kale dwerg
Alle dagen feest
Campert Compleet
Het gangstermeisje
Tjeempie!
De Harm en Miepje Kurk Story
Wie doet de koningin
Dit gebeurde overal
Theater
Scènes in Hotel Morandi
Alle bundels gedichten

CONSTANT LEVERBAAR